개를 낳았다
시즌Ⅱ 이별부터 만남까지
4
이선 만화
SEOUL MEDIA COMICS

뭐예요?!
사람이 기껏
걱정해주니까….

웅!!!
아…앍!!

웕!!
웅웅웅
웅웅!!
앍!
앍앍앍!!
앍앍앍앍앍!!!!

행자! 살구!
그만!
가자 가!!
앍!
앍앍앍!!
산책하세요~

괜찮아,
괜찮아.
살구도
힘냈어!!
덜덜
덜덜
뿡!

선생님이
예~쁘게 해줄게.

그래야 우리 애들
눈길 한 번 더 받고
입양도 잘 가지.

백설이도…

아니…
우리 노아도
예쁘게…

예쁘게
머리 묶어줘야….

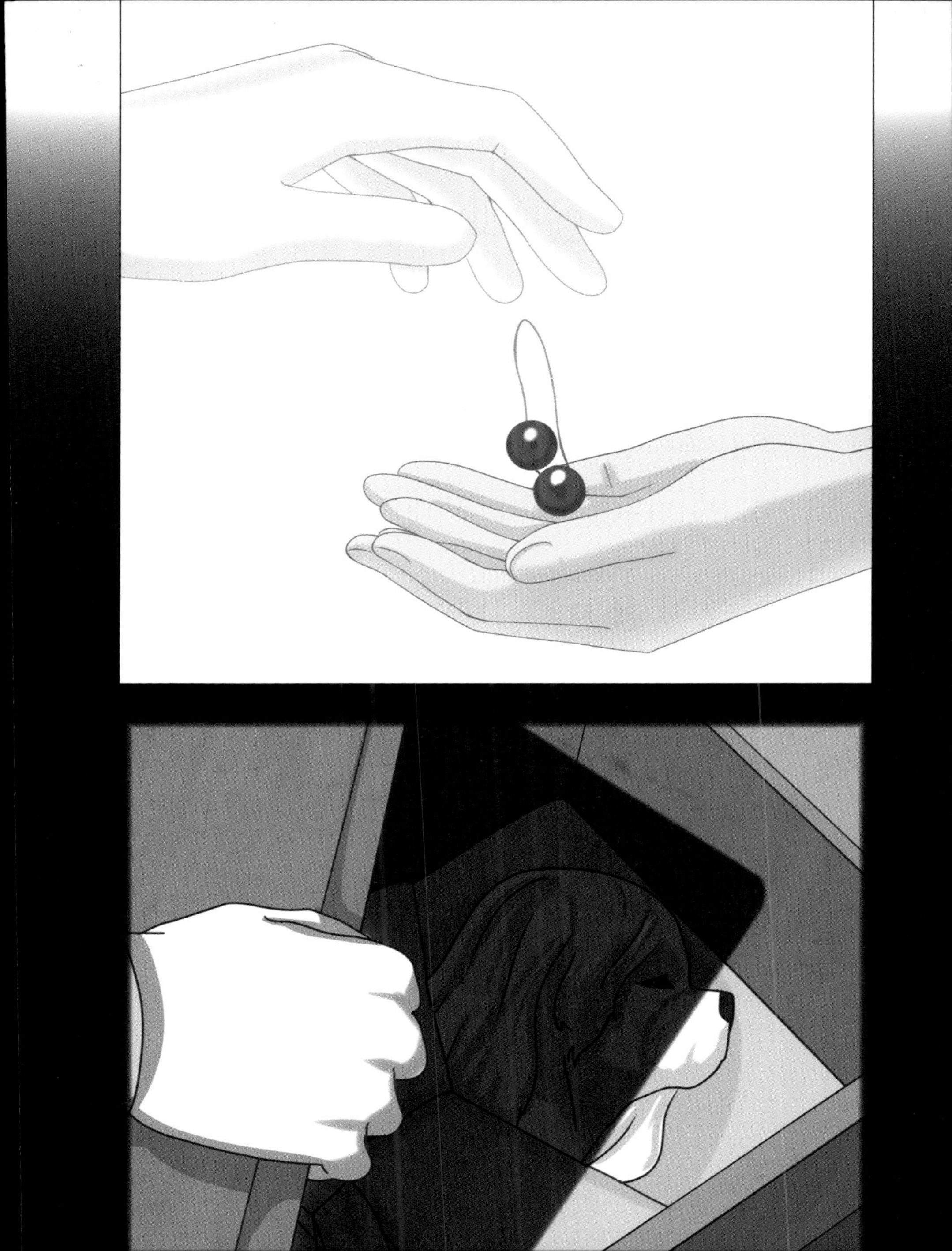

뚜껑을 닫으면 노아가 무서워할 텐데.

우리 노아 어둡고 좁은 곳 무서워하는데.

안 돼….
울면
몸이 아파져.
노아가 죽었어도
갚아야 할 병원비가 사라지진 않고,

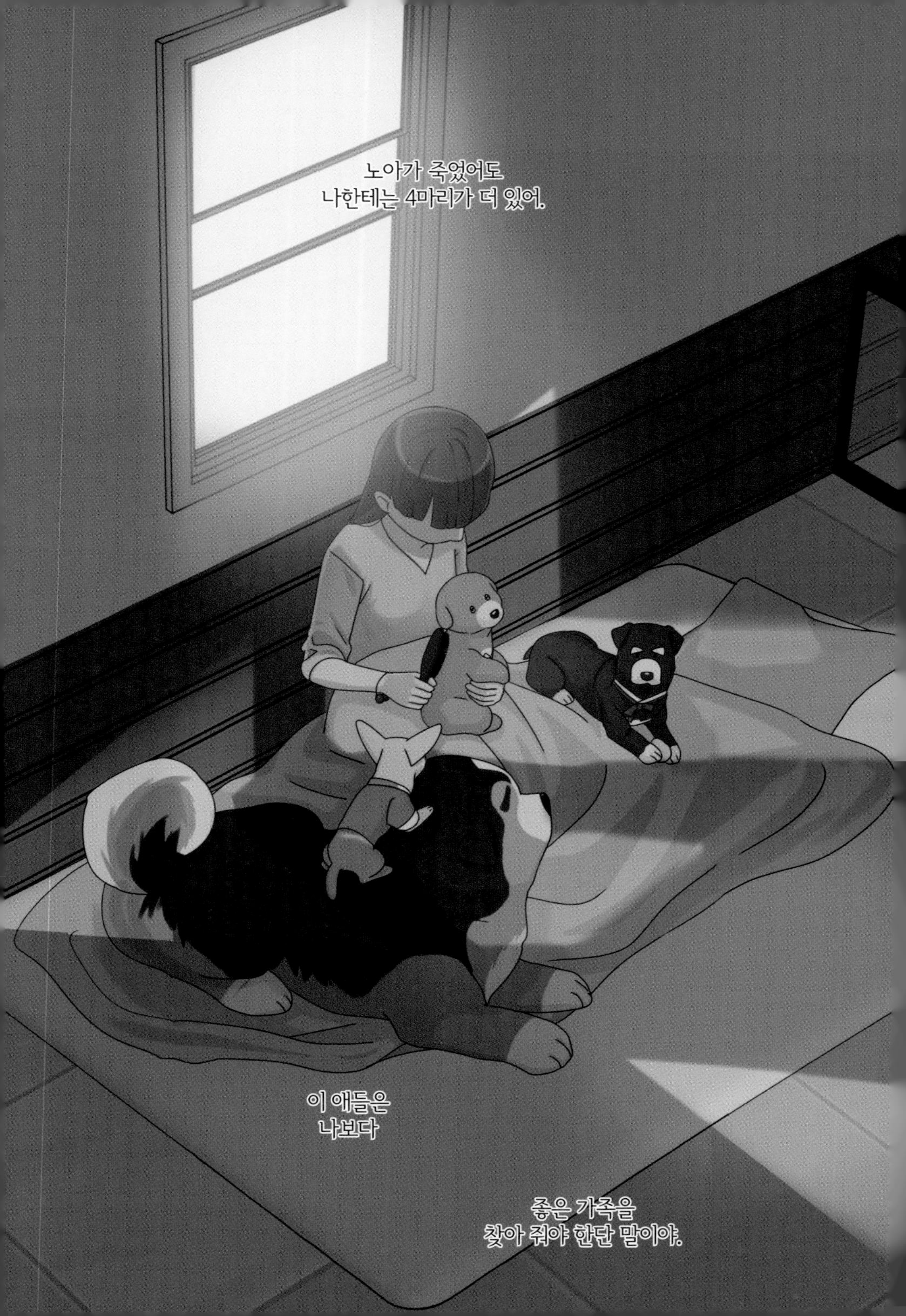

노아가 죽었어도
나한테는 4마리가 더 있어.

이 애들은
나보다

좋은 가족을
찾아 줘야 한단 말이야.

질끈

입양 문의
들어왔나….

멍더랜드
멍동러브 님 외 40명이 좋아합니다.
멍더랜드 공주님들과 왕자님들 ...더보기
댕댕러브
백설이가 왜 죽었는지 빨리 해명하세요.
멍더랜드는 청렴하고 진심으로
개를 사랑하는 줄 알았는데 실망이네요.
답글 쓰기

을 좋아합니다.
1 23 2

입양 글에
댓글을 막았더니
원생 피드에까지
댓글을 달잖아….
차단하면
다른 아이디로
다시 들어오고.
멋대로 기대하고,
멋대로 실망하고.
대체 나한테
뭘 바라는 거지?
삭제 확인
이 게시물을 삭제하시겠어요?
삭제
안녕하세요,
선생님~
우루
루루
안녕하세요,
좋은 아침이에요.
민영 선생님,
또 유치원에서
주무셨어요?

애들도 중요하지만
잠은 편하게 주무셔야죠.
쥬릅
쥬릅
괜찮아요.

집에선
더 못 자거든요.

노이도 그렇고,
노아도 그렇고.
제가 어떻게
편히 자겠어요.

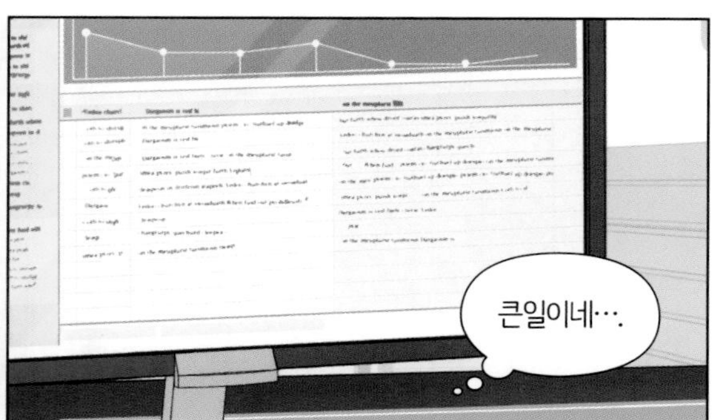
큰일이네….

애견유치원
Mungder Land
이번 달에 재등록한 원생이 주주랑 춘향, 몽룡이 밖에 없어….
이대로 적자가 계속되면 위험한데….

Mungder Land
안녕하세요, 구름이 데리러 왔어요.
네, 잠시만요.

구름아, 응꼬가 더럽잖아.
언제부터 이러고 있었어?

방금 응아했는데 잘 안 닦였나 보네요.
지금 닦아줄게요.
선생님, 요즘 원생들에게 너무 소홀하신 거 아니세요?

222
팔로잉
예전에는 매일 애들마다 기록지 써주시고 SNS에 어떻게 지내는지 올려주셨는데,
기록지 글도 짧고 SNS도 다 유기견 애들 입양 홍보 글밖에 없잖아요.
팔로잉
여기가 애견 유치원이에요, 보호소예요?

좋은 일 하시는 거 알고,
힘드신 것도 아는데
돈 주고 맡기는 원생들을
더 신경 써주셔야죠.
민영 선생님이 아니라
제가 놓친 건데….
죄송합니다….
앞으로
더 신경 쓸게요….

으…
내가 나쁜 사람 같잖아요….
아니에요, 제가 부족한 거죠.

선생님, 지금 자기 안색이 어떤지 아세요?
곧 쓰러질 사람 같아요.
누가 알아준다고 이 고생을 해요?
선생님이 고생해서 한 마리를 입양 보내면 뭐해요?
다른 데서 두 마리 버릴 텐데.

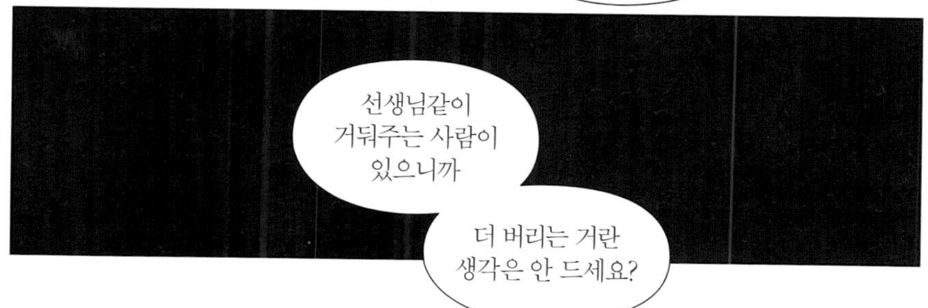
선생님같이 거둬주는 사람이 있으니까
더 버리는 거란 생각은 안 드세요?

어차피
밑 빠진 독에
물 붓기예요.

입양 홍보는
하루에 한 번씩
애들 돌아가면서
써야겠어….
원생 게시물도
더 꼼꼼하게
써야지….

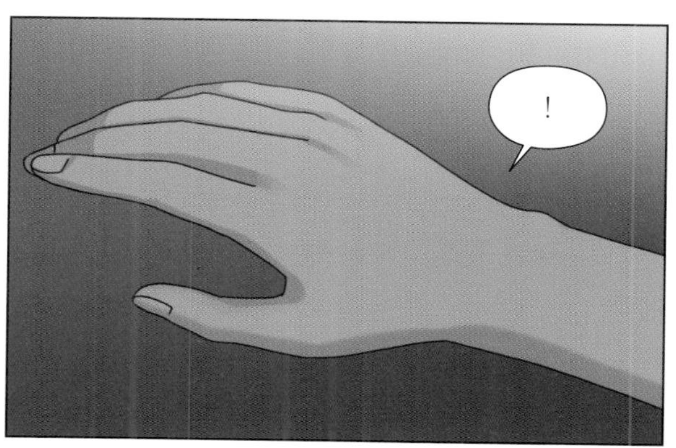
!

노아 머리끈
언제 끊어졌지?
방울들
어디 갔어?
두리번
두리번

그… 그런 거
가지고 놀면 안 돼.
위험하잖아.
자, 퉷….

옳지,
역시 똑똑하네.
훈장이.

방금… 훈장이가
이걸 삼켜서
잘못됐다면
노아의 죽음까지
의심받았겠지.
두근
두근
나는…
최선을 다했는데….

정말…
최선을 다했나…?

두근
두근
두근
두근
두근
두근
두근
두근
두근
두근
두근

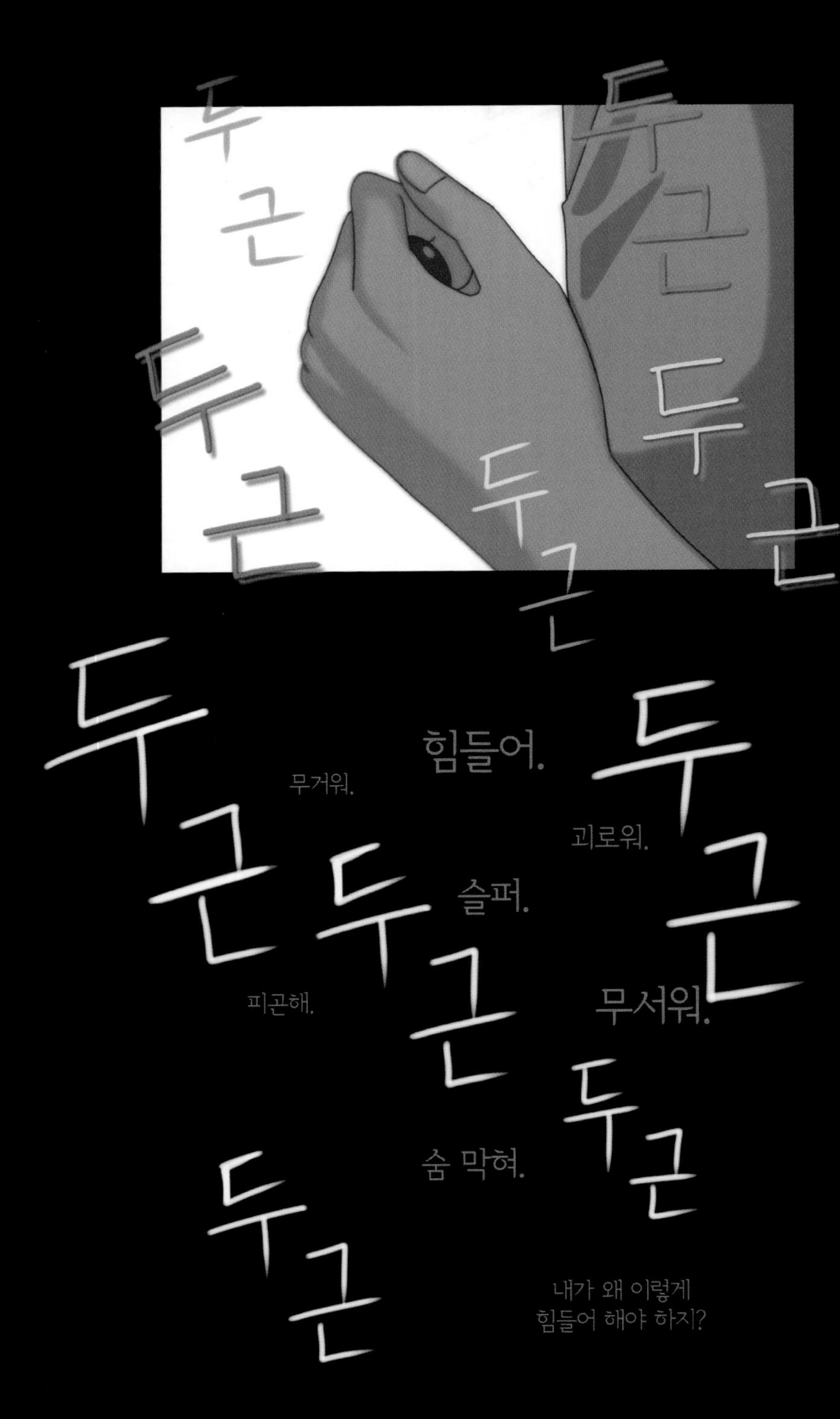
두근
두근
두근
두근
두근
두근
힘들어.
무거워.
괴로워.
슬퍼.
피곤해.
무서워.
숨 막혀.
두근
두근
내가 왜 이렇게
힘들어 해야 하지?

어차피
밑 빠진 독에
물 붓기예요.

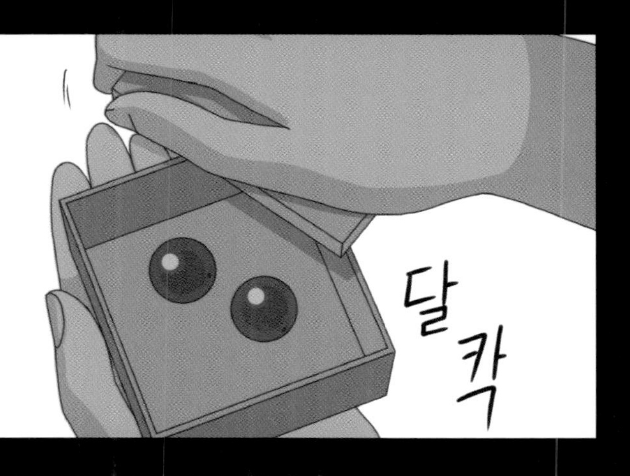

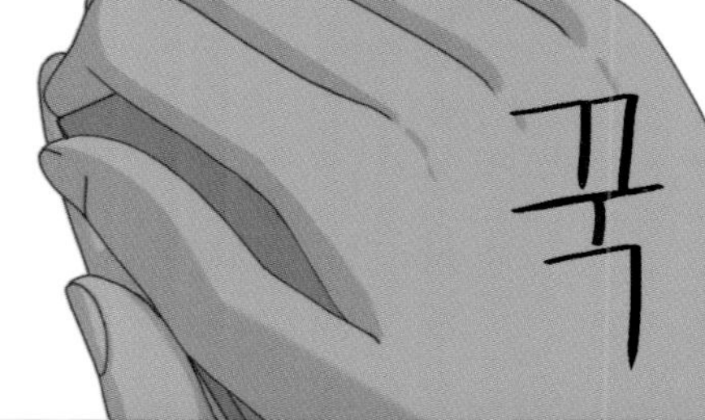

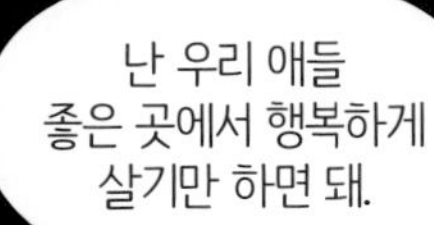

난 우리 애들 좋은 곳에서 행복하게 살기만 하면 돼.
그 외엔 아무것도 안 바래.

내가 하는 일이
헛수고일 리가 없어.

내가 노이를 입양했으니
지금 이 4마리가 살아있잖

좋은 가족.

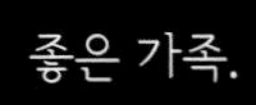

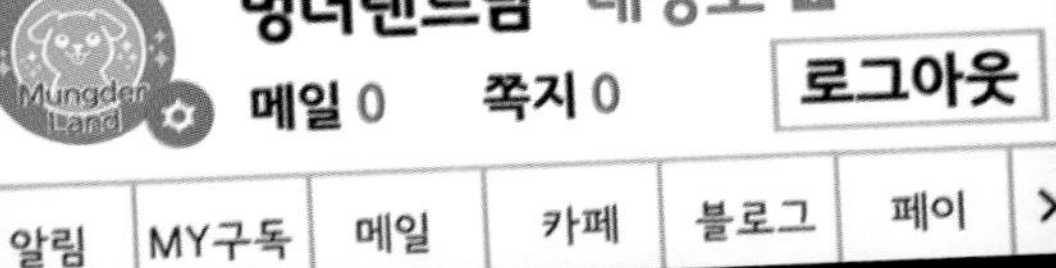

좋은 가족.

좋은 가족.

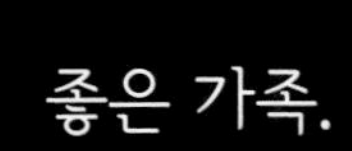

메세지

하늘이
문의드립니다…
6시간 전

루시
유기견 입양…

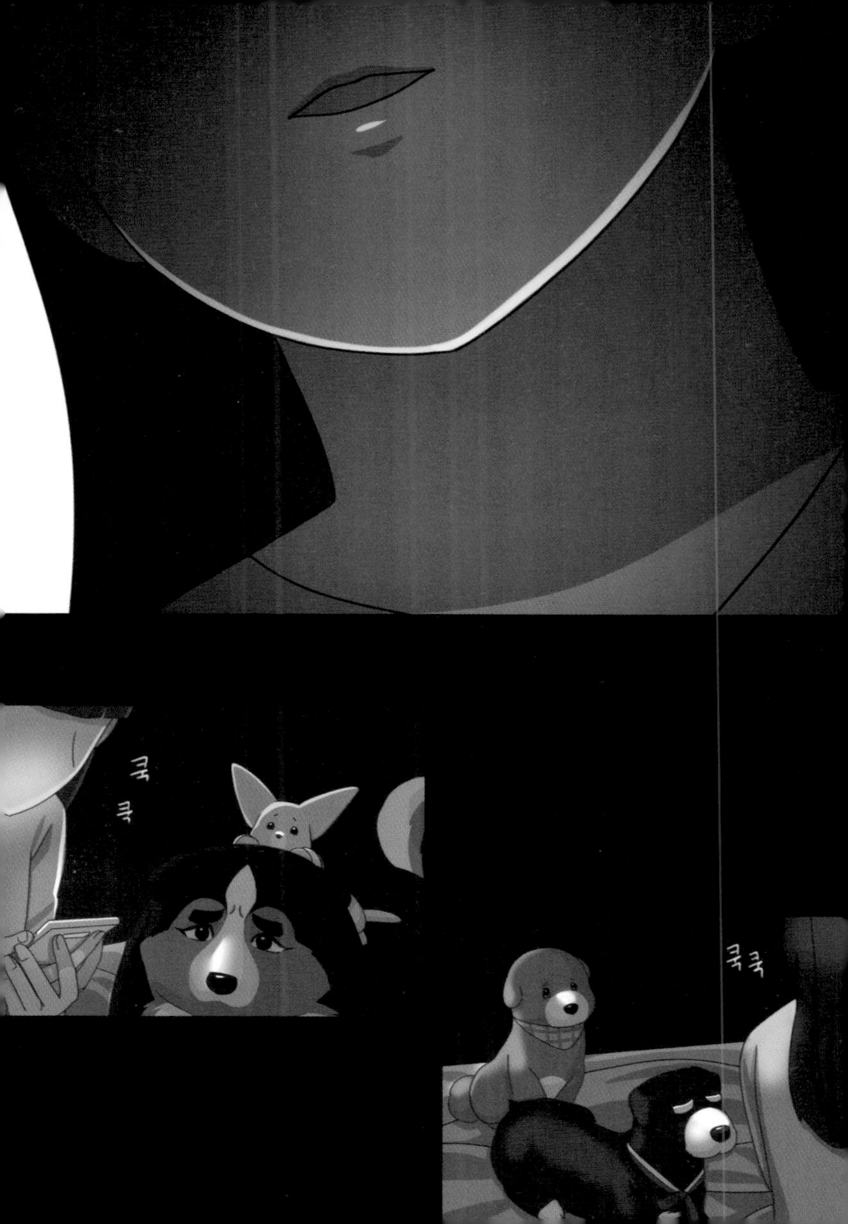
쿡
쿡
쿡쿡

선생님같이
거둬주는 사람이 있으니까

어쩜…

더 버리는 거란
생각은 안 드세요?

쿡

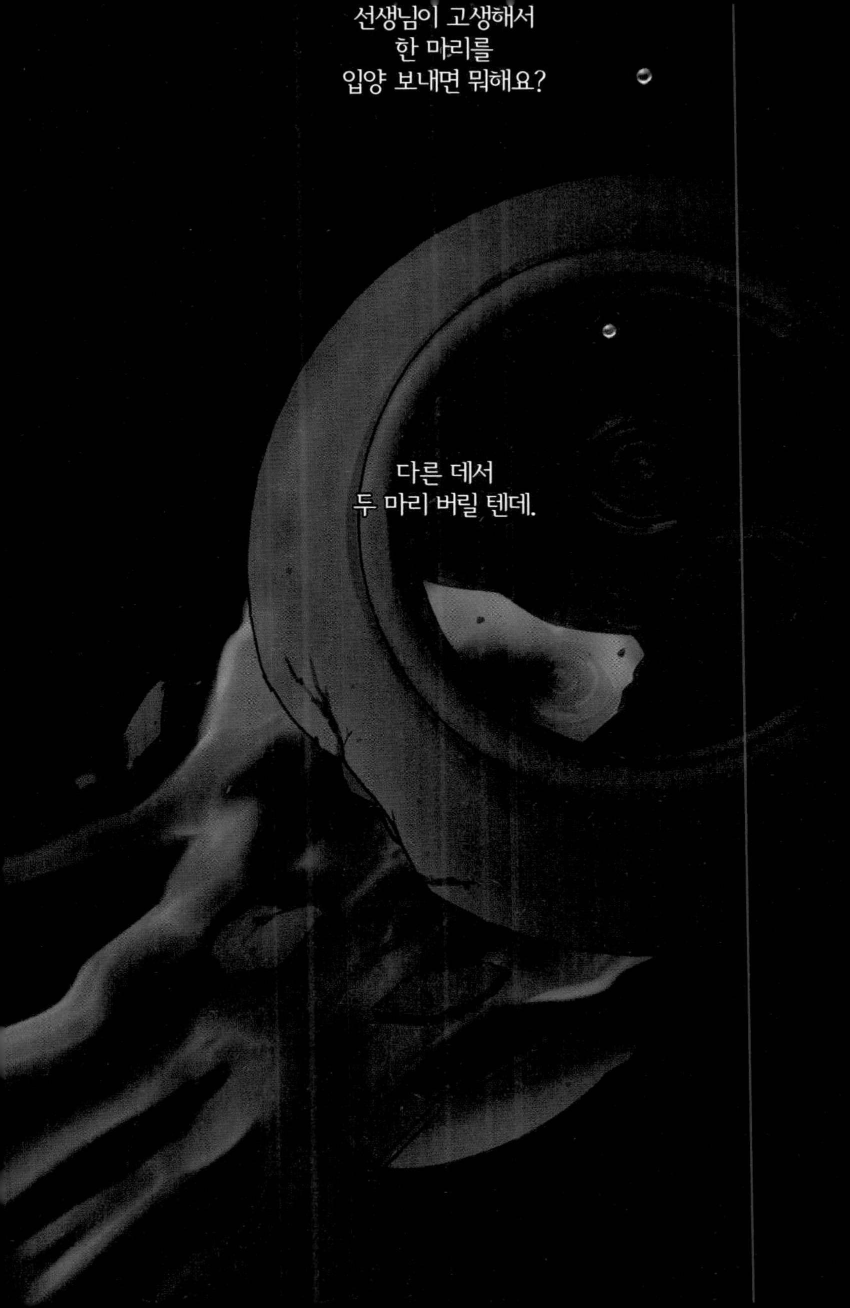
선생님이 고생해서
한 마리를
입양 보내면 뭐해요?
다른 데서
두 마리 버릴 텐데.

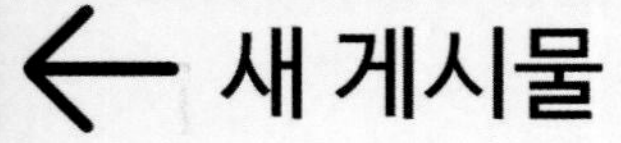

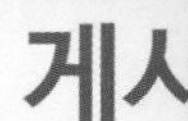

메시지를 받았습니다.

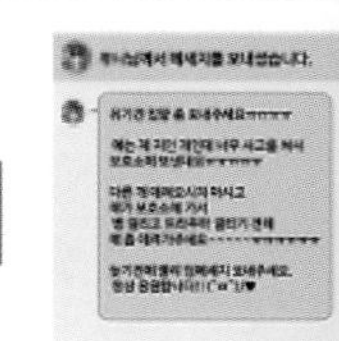

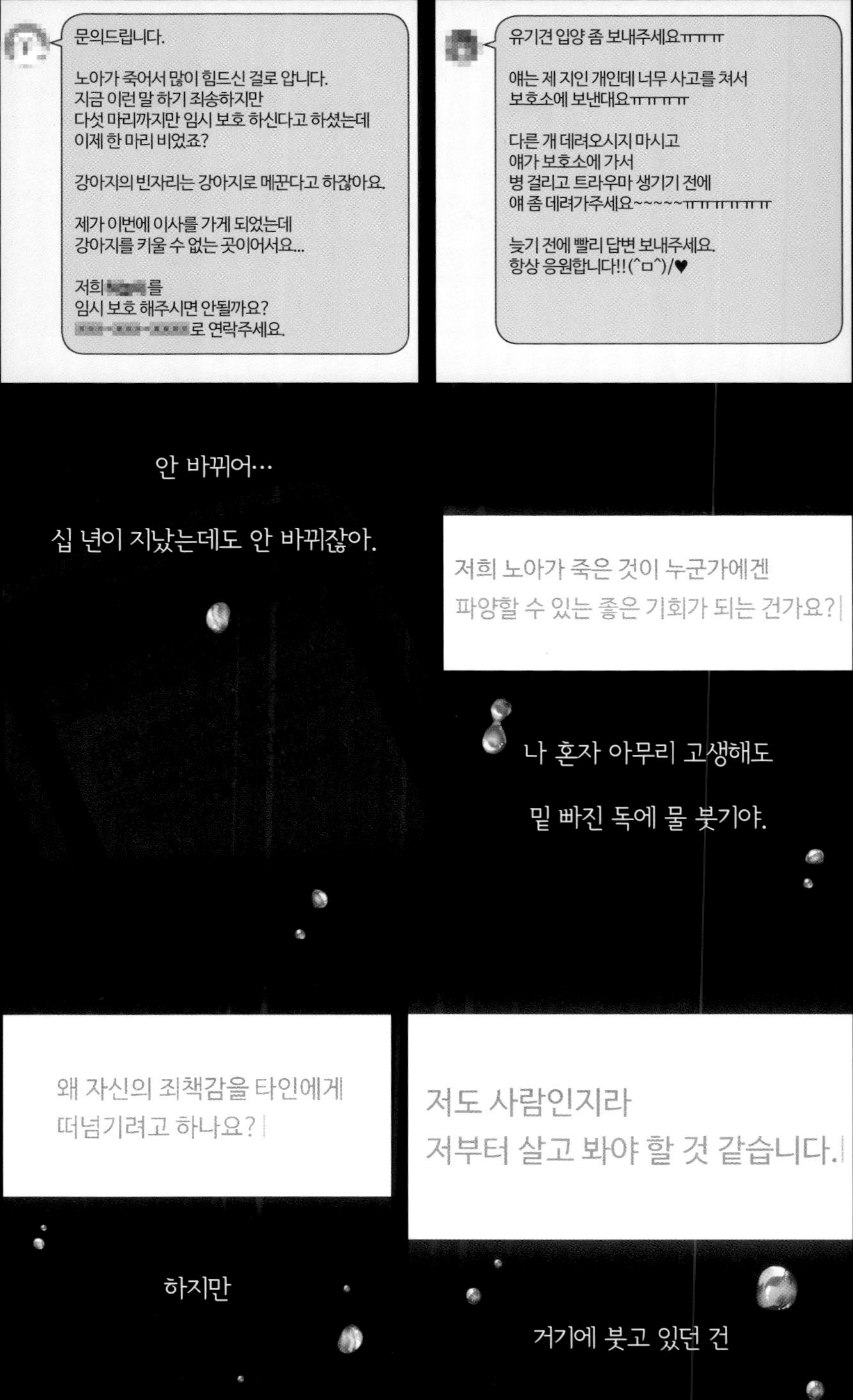

문의드립니다.

노아가 죽어서 많이 힘드신 걸로 압니다.
지금 이런 말 하기 죄송하지만
다섯 마리까지만 임시 보호 하신다고 하셨는데
이제 한 마리 비었죠?

강아지의 빈자리는 강아지로 메꾼다고 하잖아요.

제가 이번에 이사를 가게 되었는데
강아지를 키울 수 없는 곳이어서요...

저희 를
임시 보호 해주시면 안될까요?
로 연락주세요.

유기견 입양 좀 보내주세요ㅠㅠㅠ

얘는 제 지인 개인데 너무 사고를 쳐서
보호소에 보낸대요ㅠㅠㅠㅠ

다른 개 데려오시지 마시고
얘가 보호소에 가서
병 걸리고 트라우마 생기기 전에
얘 좀 데려가주세요~~~~~ㅠㅠㅠㅠㅠㅠㅠ

늦기 전에 빨리 답변 보내주세요.
항상 응원합니다!!(^ㅁ^)/♥

안 바뀌어…

십 년이 지났는데도 안 바뀌잖아.

저희 노아가 죽은 것이 누군가에겐
파양할 수 있는 좋은 기회가 되는 건가요?

나 혼자 아무리 고생해도

밑 빠진 독에 물 붓기야.

왜 자신의 죄책감을 타인에게
떠넘기려고 하나요?

저도 사람인지라
저부터 살고 봐야 할 것 같습니다.

하지만

거기에 붓고 있던 건

이제 구조
그만합니다.

내 눈물이었는데….

내가 너희만은

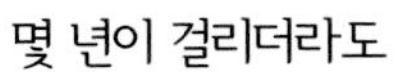

몇 년이 걸리더라도

행복하게 만들어줄게.

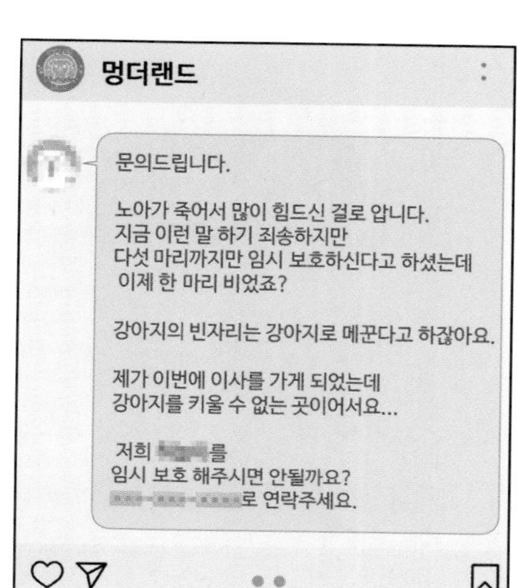
멍더랜드
문의드립니다.
노아가 죽어서 많이 힘드신 걸로 압니다.
지금 이런 말 하기 죄송하지만
다섯 마리까지만 임시 보호하신다고 하셨는데
이제 한 마리 비었죠?
강아지의 빈자리는 강아지로 메꾼다고 하잖아요.
제가 이번에 이사를 가게 되었는데
강아지를 키울 수 없는 곳이어서요...
저희 를
임시 보호 해주시면 안될까요?
로 연락주세요.

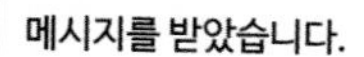
메시지를 받았습니다.

저희 노아가 죽은 것이 누군가에겐
파양할 수 있는 좋은 기회가 되는 건가요?

왜 자신의 죄책감을 타인에게 떠넘기려고 하나요?

저도 사람인지라 저부터 살고 봐야 할 것 같습니다.

이제 구조 그만합니다.

진짜 다들
왜 이래.
민영 언니한테
떠넘기기만 하고…!

아…
나도
그랬구나….

저희 집에선
임시보호를 할 수
없어요.

제가
이 아이한테 들어가는
모든 비용을 댈 테니

멍더랜드에서
위탁 보호해주실 수
없을까요?

확정 SOS SOS

'그' 민영 언니니까
괜찮은 줄 알고

민영 언니도 몸이 하나고
민영 언니의 하루도 24시간인데

그래도
괜찮은 사람이
있을 리가 없는데….

뭔가…
민영 언니께
해드리고 싶어…
내가 할 수
있는 걸로….

민영 언니를 위로해드릴
그림을 그리고 싶은데…
무엇을
그려야 하지?

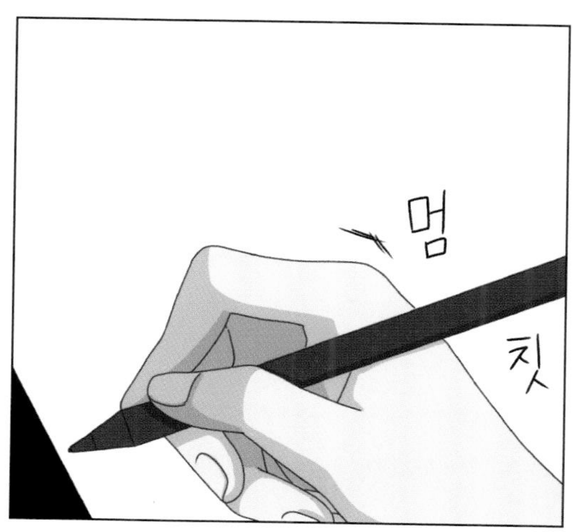
멈
칫

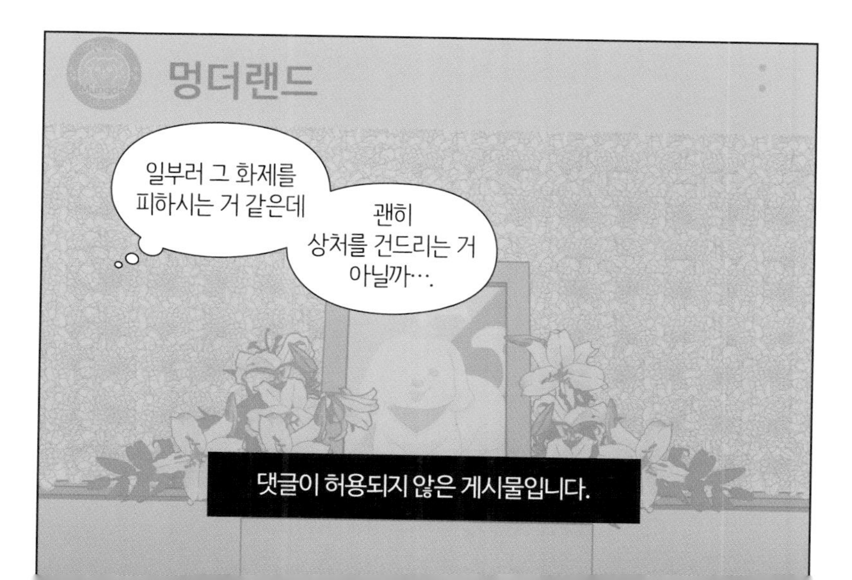
멍더랜드
일부러 그 화제를
피하시는 거 같은데
괜히
상처를 건드리는 거
아닐까….
댓글이 허용되지 않은 게시물입니다.

어?
진영 선생님?
진영선생님★
블루투스

안녕하세요,
선생님.
안녕하세요,
작가님.

혹시…
설이네 방문 때
말씀하셨던 그림 선물…
유효한가요?

그럼요!
진영 선생님 그림은
언제나 1순위예요!
어떤 그림으로
하실래요?

민영 선생님께
선물하고
싶어서요….

그게…
반려견 초상화는…
아닌데….
혹시 이런
그림도 가능한가요?

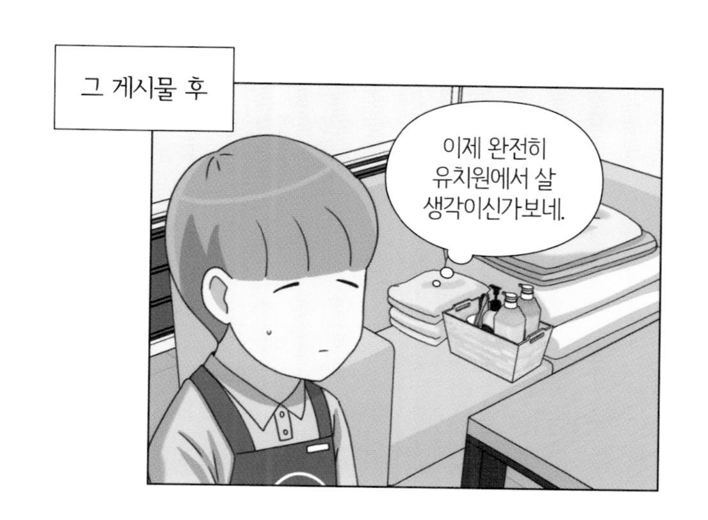

그 게시물 후
이제 완전히 유치원에서 살 생각이신가보네.

요즘 민영 선생님은 한결 가벼워 보인다.

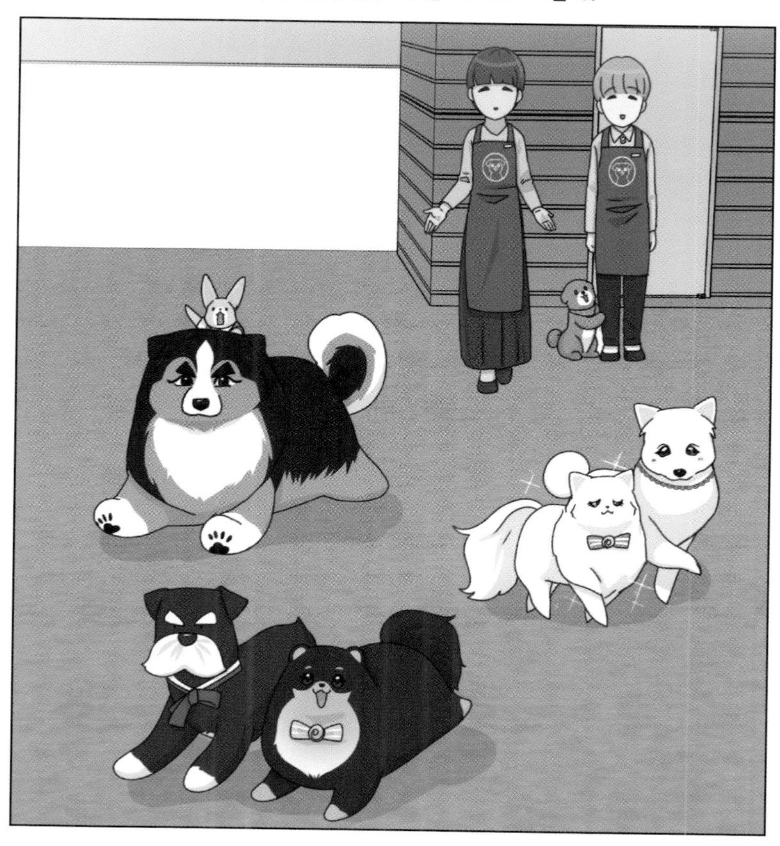

아직 마음의 짐을 완전히
내려놓으신 건 아니시겠지만…

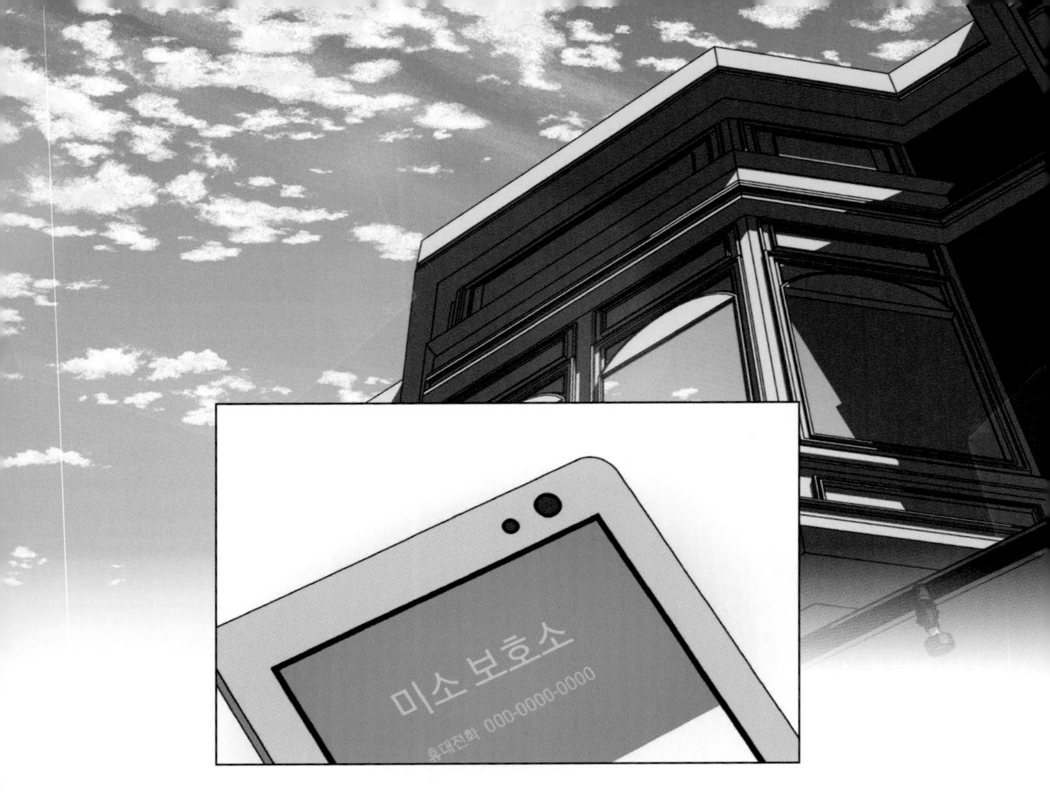
미소 보호소
휴대전화 000-0000-0000

여보세요, 멍더랜드 노민영입니다.
안녕하세요.

미소 동물 보호소 열혈만입니다.
지금 통화되시나요?
미소 유기동물 보호소

애견유치원
Mungder Land
네…
안녕하세요.

그간 SNS에
올리신 게시물
다 보았습니다.
많은 일이
있었더군요….
일반

노아 일로
많이 힘드셨죠.
Mungder Land

…노아 데려가서
끝까지 살리지 못해
죄송해요.
그리고…

이런 저런
외적인 일로
너무 힘들어서
지금 있는
애들까지만
입양 보내고
이제 구조하는 건
그만두려고요.

네…
그 게시물도
보았습니다.
혼자서 정말
힘드셨죠….

오늘은 다른 일로
연락드린 거예요.
혹시 애들 입양에
도움이 될까 싶어서요.
저희 보호소를
돕는 단체에서
얼마 전부터
거리 입양제를
하고 있거든요.
비영리
유기견 보호단체
세개행진
세개행진 소개
주요활동
후원.가입 문의
미소시 x 세개행진
유기견 거리 입양제
미소시 유기견 거리 입양제
우리 예쁜 보호견들 보러 오시라개!
일시
대표 강파란
123-4567-8910
거기에
멍더랜드 아이들과
참가하지
않으실래요?

거리 입양제…
참가하면
좋겠지만
개인도
참가할 수 있나요?
이 단체에 가입하면
참가하실 수 있습니다.
Land

저도 가입한
믿을 만한
단체이고
입양 관련해서
많은 도움을 받을 수
있을 거예요.
비영리
유기견 보호단체
세개행진
주말에
저와 대표님이 찾아뵙고
말씀 드려도 될까요?

그럼… 그때
한 명 더 불러도
될까요?

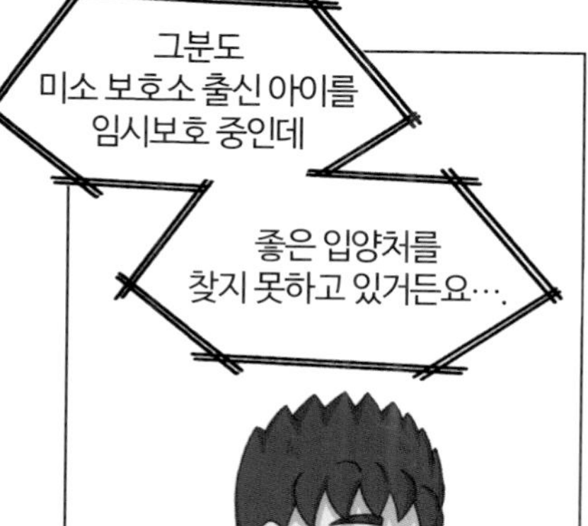
그분도
미소 보호소 출신 아이를
임시보호 중인데
좋은 입양처를
찾지 못하고 있거든요….

혹시
그분….

우리 가야 좋겠네
보호소 선생님도 보고~

명동이도
오랜만에
유치원 가고~
간식 줘!
간식!

털이
많이 자란
명동이
엄마도 민영 선생님께
드릴 거 있었으니
일석삼조네~

유기견 보호 단체라…
난 사람 모이는 것은
거북한데…
오늘은 언니께
그림 전해드릴 겸
이야기만 듣자.

그림이
언니 마음에 드셨으면
좋을 텐데….

민영 언니~
저 왔어요~
선생님!
잘
왔어요~
저번에 본
언니!

다들 옥상에
계세요.
저희도
올라가죠~

세상에
언니
마른 것 좀 봐.

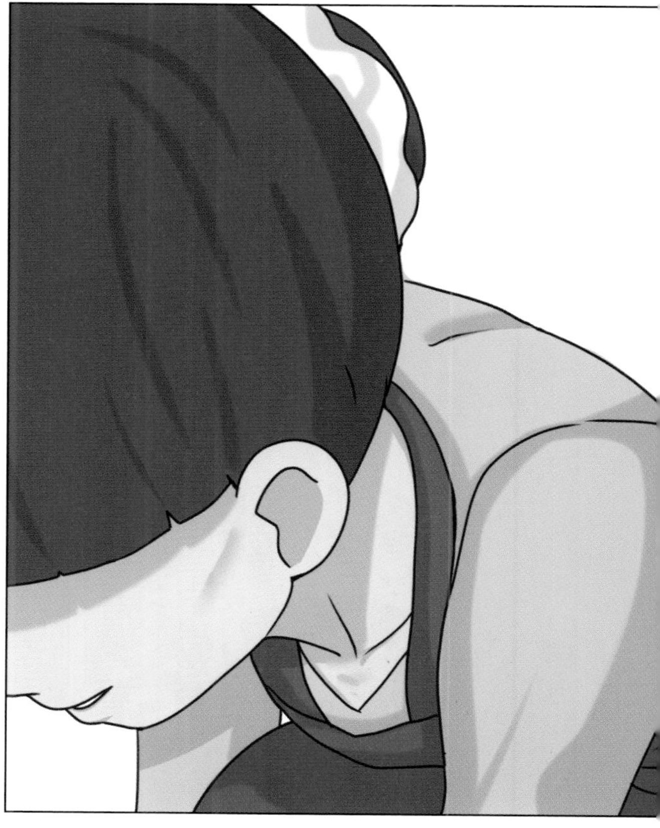

안녕하세요~
명동이네입니다~

안녕하세요!!!
이분
몽실이가 찜!

오랜만입니다.
안녕하세요.

가야 표정 정말
좋아졌네요.
살도
포동포동하게
오르고요.
넌···
인간!
정말 예쁨
많이 받고있구나,
잘 지내서
다행이다.
으쓱
힘 빼요.
정말···
너무너무···.

훌쩍

제가
눈물샘이
약해서…
잘 돌봄받는
아이들만 보면
이렇게….
소곤
저희
애들 보고도
울었어요.
처음 만났을 때랑
이미지가 많이
다르시네.

그… 가야가
이렇게….

그동안 SNS로 쭉 지켜보고 있었어요.
네… 가끔 댓글 달아주셔서 알아요….

가야에게 진심으로 다가가주셔서 고맙습니다.
정말로 고맙습니다.
뚝
뚝
아… 네, 뭐….

그럼 전 아이들과 놀면서 듣고 있을게요.
말씀 나누세요.

안녕하세요,
전 가야를
임시보호하고 있는
김다나라고 합니다.
I'm
멍동!

유기견 보호단체
'세상 모든 개들의
행복 찾기에 진심'의
강파란이라고
합니다.
몽실몽실
하시네요
혹시 엄마세요?

세상의 모든
개들의
행복에
진심
이름부터
씩씩하군.
저희 세개행진
거리 입양제
팸플릿이에요.

슥
거두절미하고,
여러분은
왜 유기견들의
입양률이 저조하다고
생각하시나요?
왁!!
눈이 진심이당.

원인이야…
너무 많죠.
펫샵에서 데려오면
되지, 왜 유기견을?
유기견 입양의
메리트?
보호소가
너무 멀어서.
새끼 품종견을
키우고 싶어서.
어디서 유기견을
입양받아야 할지 몰라서.
하지만 굳이
한 개만 따지자면
홍보… 같아요.

저는…
'막연한 두려움'
이요.

관심이 있는데도
유기견에 대한
안 좋은 사례만 듣고
'불쌍하고 무서워'에서
멈추는 경우가
많더라고요.

엑설런트!!!
역시 이쪽에 조예가
깊으시군요!!!
재밌는
분이시네.
멋져요.
딱

XXXX님이 회
게시물을 좋아합
열심히
홍보를 해도
이미 입양했거나
이쪽 일 하시는 분들만
보시더라고요.
XXXXXX님이 회원
게시물을 좋아합니다.
XXX님이 회원님의
게시물을 좋아합니다.
새로운
유입이 없어요.
X.XXXX 회원님의
게시물을 좋아합니다.

유기견들은
뭔가 문제가
있을 것이다?!!
유기견들은
더럽고
아플 것이다?!

유기견들은 모두
마음의 상처 때문에
돌보기 힘들 것이다?!
유기견 입양은
특별한 사람들만
하는 것이다?!

유기견들은
반려견이랑 뭔가
다를 것이다?!!

진
심
NO

입양은 신중하게
해야 하지만!!!!
그건 유기견이 아니어도
마찬가지!!!
불끈
신중을 가장한
편견 때문에
관심조차 못 받게 되는 건
주객전도!!

그래서 저희는
직접 나가
보여주려고 합니다.
돕게
해줘효!!!
진영 쌤이랑
재질이
비슷해.
힘이 넘치시네.

매주 토요일
미소시 가족공원 분수대 앞!!
오전 11시에서 오후 6시
아이들과 함께
푸른 천막을
빛내주세요.
미소시 유기견 거리 입양제

그저 편안하게
여러분의 '평소'를
보여주세요.

사람들은
그 모습을 보고
느끼게 될 겁니다.
유기견 입양은
가까이 있구나.

모두가 웃는 도시
미소시
거리입양제

유기견이나 반려견이나 다르지 않구나.
유기견은 그저 '가족'을 기다리는 아이들일 뿐이구나. 라는 걸요.

이동도 저희 측에서 도와드리고 후원금으로 아이들의 병원비를 지원해드려요.
멋지시네요
저 데려가실래요?
입양 홍보, 입양 문의 관리도 저희 세개행진이 맡겠습니다.
마지막 입양 심사는 여러분의 의사를 최우선으로 합니다.

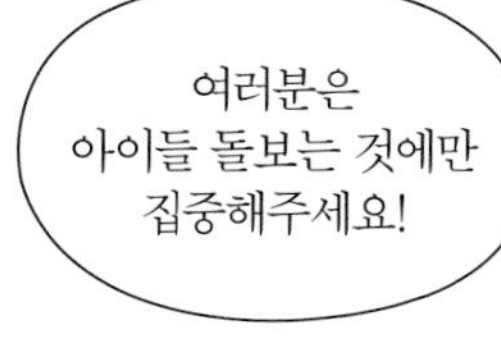
여러분은
아이들 돌보는 것에만
집중해주세요!

전…
이 아이들까지만
입양 보내고 구조는
그만할 거예요.
그래도
괜찮나요?

전 이제
책임지는 게
무서워요.

저도
선생님이 올리신
게시물 봤어요.
저흰 절대
구조를 강요하지
않아요.

그동안
다른 사람들보다 개들을
사랑한다는 이유만으로
얼마나
많은 것을 혼자
감당하셨어요.
이제
함께해요.

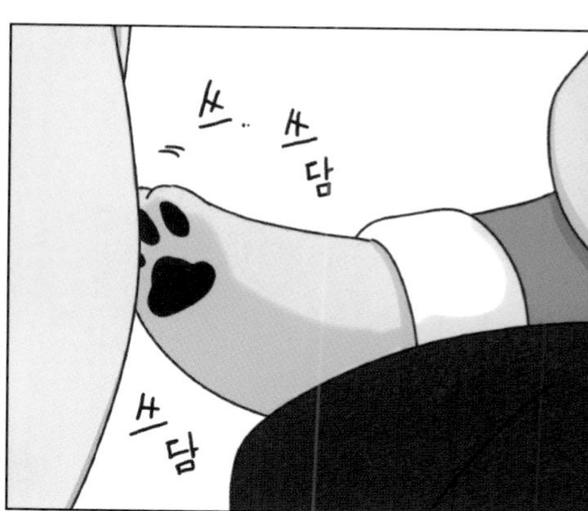
쓰… 쓰담
쓰담

애당초 이걸
'개인'이 한다는 게
이상한 거예요.
나라에서도
감당하지 못하고
있는 일인걸요.

나라에서도
포기한 애들을
여러분이 구하셨어요.
이 아이들의 삶이
보호소에서 끝나지 않게
해주셔서 고맙습니다.
유기동물보호소

다만
한 가지…
저희가 입양 조건과
심사 절차가 아주 많~~~이
엄격합니다.
잘못했다가는
거리 입양제가
유기견 무료 나눔으로
보일 수 있으니까요.
저도
쓰다듬어 주세요.

아마 개인한테
입양 보내는 것보다
힘들 거예요.
저희 신조가
쓰
옥

한 마리라도
많이 보내자가
아니라
한 마리라도
제대로
보내자거든요.

후
꺄

덥석

우연이네요, 저랑 신조가 같아요.
앞으로 잘 부탁드려요.
방긋

그럼 이번 추석이
끝나고부터
참여하는 걸로 알게요.
전 일이 있어서
가보겠습니다~
멍동
퇴장!

매주
토요일에 봬요~

!!
가야!
가자!
오쫑쫑

가야가…
저렇게 사람을
잘 따르다니…
뽕
그만
울어요.
콸
콸
!!!

저…
민영 언니
이거요….
어머나!
진영 쌤이랑 제가
준비한 거예요.
편지는 진영 쌤이
쓰신 거예요.
먼저 읽어보세요.

저 가고 뜯어보세요.
꺄앗 부끄러~~
고마워요.
조심해서
가요~

…신경
쓰이게 했네.

사실 난
혼자는 아니었지.

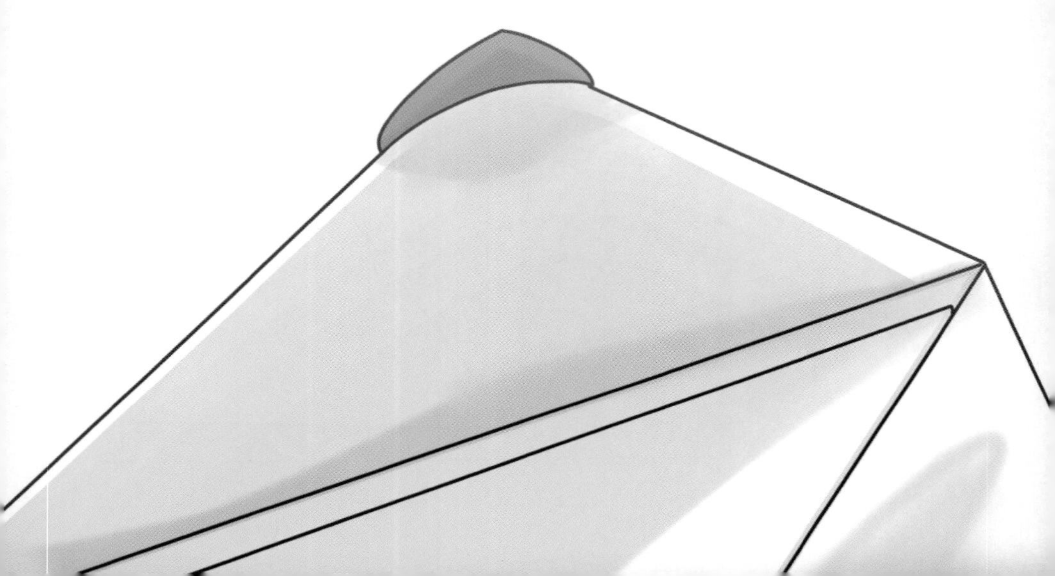

개들이 죽으면

사랑하는 존재가 올 때
마중을 나가려고
천국의 문 앞에서 기다린다고 해요.

그동안 하나님이
개들을 돌봐준대요.

그 개가 기다리는
존재의 모습으로요.

어떤 개들의 하나님은

자신을 버린 사람의
모습을 하고 있겠죠.

죽은 후에도

자기를 버린 사람을
사랑하고 있겠죠.

노아는
이제

거기서도

엄마를 사랑하고
있을 거예요.

<트윈줄>
반려견 두 마리를
한 번에 산책시킬 수 있는
보조 줄.

한 번에 두 마리
산책시키려니까
위험해서, 원.
꺅
철컥
이거 한번
해보자.
철컥

자~
가보자~

홱
옭?

뭐여,
뭐여!!!
팔랑

안 되겠다…
명동이가 일방적으로
끌려다니네.
뭐여!!
뭐여!!!!!!!!!!!!!
뭐여어어어어
꺄ㅡ
꺄
아!!!!!
뭐여!!!

그냥 앞으로도
따로 산책하자.
오늘 명동이는
가방 산책~
아
뭐냐고!!!!!!
?
?

어휴~ 가야야
앞에 보고
걸어야지~
터치?
터치해 줬으면
좋겠어?

터치 말고
다른 것도 해볼까?
사이
안 좋아서
걱정했는데~
둘이 많이
친해졌네~

하이파이브?!
이걸 언제 배웠어?! 정말
가야 똑똑하네~~~~
근데···
너무 심하게
친해진 거 아냐?

옳지 옳지~
똑똑하기도 하지,
우리 가야~
···우리?
삐?

너무 심하게
친하잖아!!!
삐
죽

거리 입양제?
응, 이제 가야는 세개행진 소속이야.

병원비 지원도 해주고 입양 홍보, 심사도 대신해준대.
툭
툭

입양 문의가 와도 입양 보낸 뒤가 걱정이었는데
베테랑들이 같이 한다니까 든든해.
미소시 x 세개행진
유기견 거리 입양제
미소시 유기견 거리 입양제
모금함
우리 예쁜 보호견들 보러 오시라개!

가야는 예쁘니까 여기 나가면 입양자가 줄을 설 거야.
흔들
흔들

매주 토요일에 시간 내야 하면
언니랑 가야가 너무 힘들지 않겠어?
명동이도 매주 혼자 있어야 하잖아.

나는 괜찮아. 다들 애견 베테랑이시니까 가야도 괜찮을 거야.
명동이도 일주일에 하루 정도는 혼자 있을 줄 알아야지.

그것보다 중요한 건
내일 심장 사상충
마지막 검사야.
완전 치료가 되어야
입양제에 참가하든지
말든지 하지.
뿌~

그럼
난 잘게~
두 마리
동시에 산책했더니
녹초야 녹초.
그래,
잘 자.

꺄 아

큰언니
더 놀자 더!
팡
팡
미안, 가야야.
같이 코~는 아냐.
가야는
나라 언니랑 자~

잘 자~
가야야.
와 진짜
친해졌네.
나도 같이
못 자는데!!
뿌~

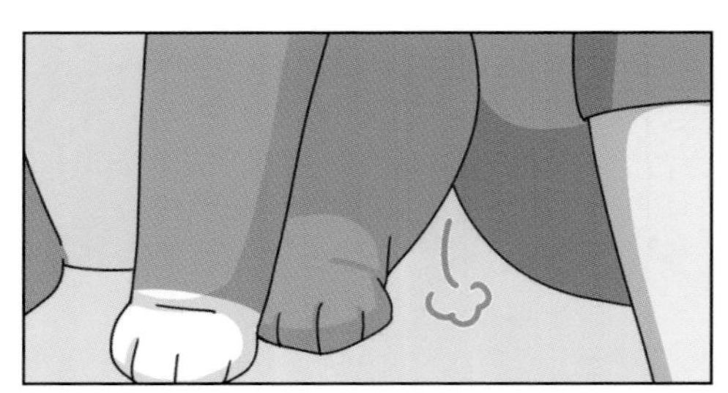

그래도
작은언니가
제일 좋지?
꺄—

여기에 나가면서까지
입양을 보내야 하나….

이미 가야는
여기를 자기 집으로
생각하고 있는데

언니가 가야를
입양할 생각이 없다면

내가 입양하면…?

동물병원
동물병원

심장 사상충
최종 검사 기다리는 중>>

후다닥!!

척

척

심장 사상충 2기 확진
30일 전 처치약 복용
1차 성충 구제 주사
24시간 후
2차 성충 구제 주사
30일 후 처치 약 복용
약 복용 끝난 후 운동 금지 해금
4달 후 최종 검사
심장 사상충 완치!!
그동안 고생 많으셨어요!
챠
챠
뿌
뿌
챠
챠
챠
챠
빙글
빙글

딱 맞췄네요. 추석 끝나고부터 거리 입양제 나가기로 했거든요! 완전 딱!
챤!
빙글
빙글
거리 입양제요?

네! 가야 입양 문의가 영 안 들어와서 거리 입양제에 참가하기로 했어요.
그렇군요.

전 이대로 명동이네가
입양할 거라고
생각했어요.
명동이네보다
가야를 예뻐할 집
찾기 힘들겠어요.
쪽
쪽♥

처음부터 임시보호까지만
약속한 거거든요.
입양으로 끝을 내면
저보다 좋은 보호자를
만날 가능성이
없어지잖아요.

모두가
납득할 수 있는
끝을 찾기 위해
노력해야죠.
입양은
현실이니까요.

가야는 워낙 예뻐서
홍보만 제대로 되면
입양자가 줄을 설 거예요.
그럼요!
누가 돌봤는데요!
우헤헤♥
쪽

새삼스럽지만
가야 진짜
산책 잘하네….
…
그렇지?
얘 엄청 똑똑해.
봐봐라?

코 터치!
콕

혀로 파이브!
할
짝

쏘옥!
쏘
옥

쩌… 쩐다.
그렇지?
오호호호
언니 진짜
고생 많이 했다.
가야가 멋진 거야
라고 하기엔 내가
고생 좀 했지!

너도
고생 많았어.

나야, 뭐…
밥 챙겨주고
가끔 쉬는 날에
산책 돕는 것밖에
안 했는걸.
산책도 훈련도
돈 쓰는 것도 항상
같이 있어주는 것도
다 언니지.

내가 임시보호
한다고 했으니까
당연한 거지!
그리고 넌
출근하니까
시간이 없잖아!

돌보는 걸
지지해주는 것만으로도
너무 고마워.
찌익

명동이가
자기 자리
많이 내줬지.
명동이도
스페셜 땡큐야~
!
할짝
할짝

우리 너무 벌써부터
입양 보낸 거처럼
그런다.
일단 추석부터
보내야지,
어떻게 할 거야?
명동이도
하이파이브!
맞다,
그렇지.
엄마가 가야
데려오지 말랬으니까
호텔링 맡겨야지?

근데 우리한테
개 사진이나 근황은
보내지 마.
그냥 입양해버리고
싶어질 거 같으니까.

아직
일주일이나 남았는데
너무 서두르는 거
아냐?
말 나온 김에
예약해놓을까?
추석에 호텔링
맡기는 사람들
많을 테니까 미리…
명동이도
쏘옥 할 수 있어.
쏘옥

어머,
추석 호텔링은 이미
예약 꽉 찼죠.

게다가 이번 추석은
휴일까지 낀
골든 위크잖아요.
명절 땐
최소 이 주 전에는
예약하셔야 해요.
명동이한테도
쏘옥 시켜봐!!!!

다른 데도 그럴 텐데
빨리 알아보세요.
그리고 명동이도
예쁘다 해죠!!

어… 어쩌지
좀 괜찮은 곳은
예약이 다 찼어….
우린 한 번도
호텔링 안 맡겨봐서
몰랐지….

지금까진 명동이만
챙겼으니까
이럴 거라고는
생각도 못 했어.
너 이제
우리 엄마랑 그만 친해져!

밑… 밑져야 본전이니까
부모님께… 말해볼까?
미… 밑져야
본전이니까….
그럼 우리 둘이
놀면 되겠네~~
꽥!

NO ~~~~~~~~~~

걔까지 오면
집에 개가 네 마리잖아!!
오메!!! 듣기만 해도
정신 사나워!!

그럼 엄마…
나는 서울 집에
남을까?
맡기기도 뭐 한데
내가 남아서
얘 돌보면,

임시보호하는 개
돌본다고 우리 집 개
안 보러 온다고?
미쳤군!
뚝

남의 집
개가 될 텐데
그렇게까지 한담!

물론 덕진이
닮았다니까
예쁘긴 하겠지.
덕진이랑
닮았으면 오지게
예쁘긴 할 거야.

우리
덕진이 닮은 애가
버려져서…
일반
쓰레기네···
배를 곪고…
안락사
당할 뻔….

좀 멀더라도
외곽에 있는 곳까지
알아볼까….
세상에서
제일 예쁜 우리 명동이~
우리 명동이~ 우리 명동이~
(나라 벨 소리)

다시 생각해봤는데…
할 수 없지, 데려와.
정말?
근데
잘 돌봐야 해.
우리, 강산이도
그새 많이
컸단 말이야.
좀만 더 오면
죽빵 날릴 거야.
개도
작은 앤 아니니까
네 마리는 정말
정신없을 거야.

그리고
아무리 예뻐도
절대 절대
입양은 안 할 거야.
진짜 안 돼.
응!!!
알았어요!!

할머니~ 할아버지~
내 무리들~
보러 간다네~

가야가 장시간 이동은
너무 힘들어해서 진정제를
처방했어요.
쿨~

어우,
운전 힘들어.
오구오구
내 새끼들
고생했네.
다나 차
새로 뽑음
삐삐
빠빠

명동이
미용했었지? 이제야
실물을 보네!!
우리
몽실몽실한
찐빵….

할머니!
꼬질
꼬질
꼬질
거지꼴!

저번에 미용했다며?!
왜 거지꼴이야!
미용한 지
꽤 돼서
거지 존이야.
그럼 다시
미용하지!!
나는 긴 게 좋아서
그냥 기르려고.

왜···?
할무니도
명동이 별로야?
히 잉..

아녀아녀,
우리 명동이는
언제든 예쁘지~
더 이쁠 줄 알고
기대한 할머니가
잘못이야.
쪼옥
와~ 은근히
심한 말 하네.

그치?
명동이가 제일
예쁘지?
토닥
토닥

그래서 덕진이
닮은 애는?
덕진이
닮은 애가 아니라
가야야.

흠냐
개똥딱지만큼도
안 닮았잖아!!!

못생겼어!
뚱뚱해!!
나를
속였겠다!!!
뭔 소리야!!
안 못생겼어!!
안 뚱뚱해!!

뭐야
ㅓ 생물은?!
푸릉
푸릉

으르르르르
오메
무서워라
!!!

엄마가 소리 지르니까
놀라서 그러는 거야~~~
캄다운 해 캄다운!!
재가 먼저
으르렁했잖아!!
왁왁
왁
왁
우리
할머니한테
왜 그냐!!
으르르르르르
왁
왁
이… 이런
우리, 강산이도
난리 났네.
삐삐
빠빠
마덜!!!
무슨 일이에요?!!

우리~ 강산아~
누니 (누나 언니)
왔다~~~
빠빠삐삐

꽉!!

빠!

개
어?!!
뭐야 뭐, 왜 그…

삐!

떯!
개 예쁨
뭐야 뭔 일...

삐!
빠!

태어난 지 10개월
우리, 강산
우리 강산이가
성견이 되었다.

우와,
우리 강산이
언제 저렇게 컸지?
10kg
넘은 거
같은데?!
빠
빠
빠
삐
삐
에이,
우리, 강산이가
무슨 10kg이
넘….

오마나나나나
언제 이렇게
컸지?!!!
15kg
쑤-욱
12kg

맨날 보니까
몰랐어.
사진으로만
봐서 몰랐는데
실물로 보니
많이 컸네.
어쩜 저렇게
예쁘고 잘생겼담.

대짱?
대짱 맞아?
너무 작아.
꾹
꾹
쫄면
안 돼!!
크기가
작아도!!
여기서 내가
제일 어른!!
습*—하

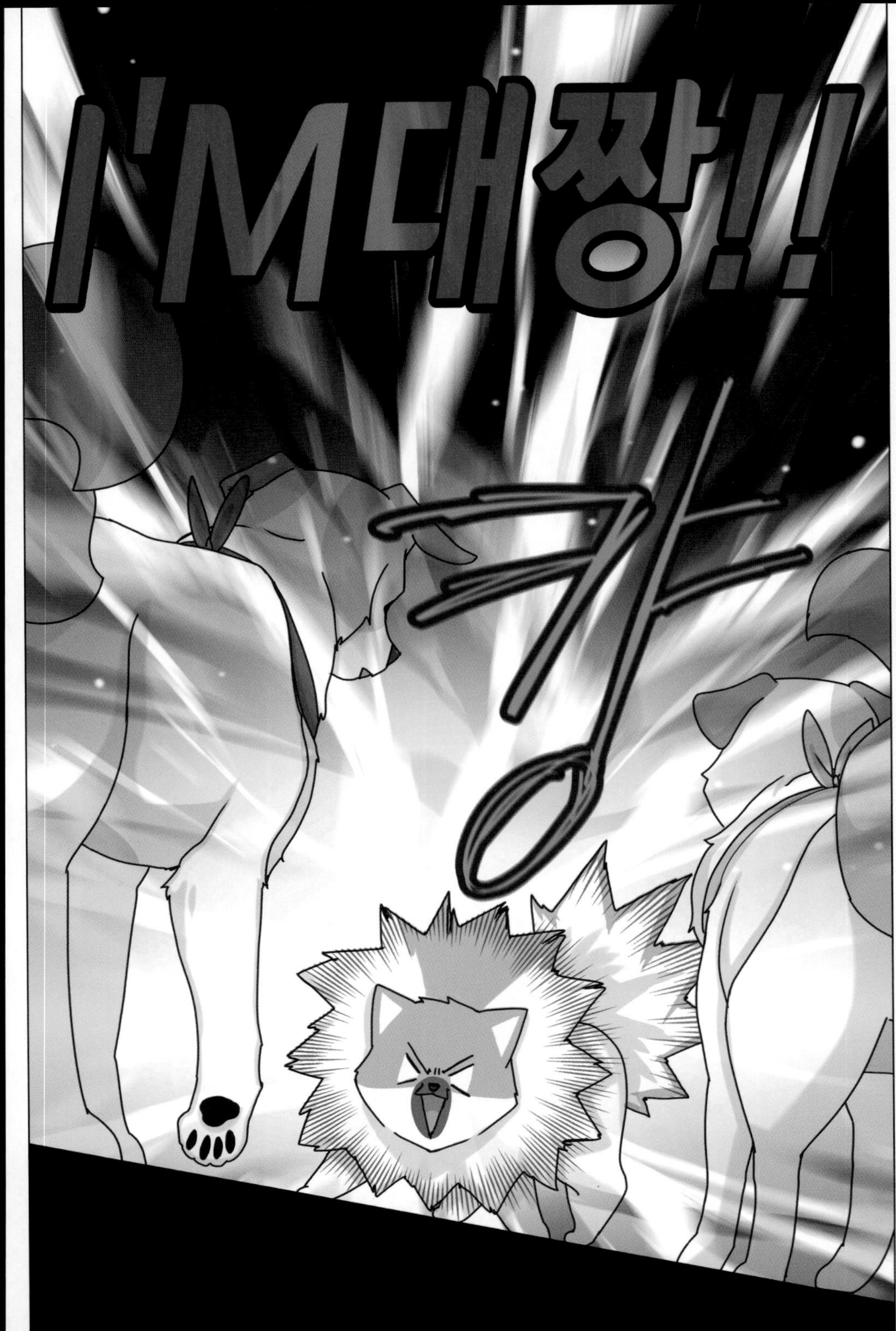
I'M 대짱!!
깡

아르르르르르

헤실~~

살랑
살랑
살랑
살랑
살랑

보고 싶었어 대짱!
못 알아볼 뻔 했자나~~~

살랑
살랑
살랑

우리 강산이
형아 좋아?

누나도 기억나지?
누나도 좋아~?

할머니
안아죠.

가야도
인사해볼래?
꺄~아

킁
킁
킁
킁
킁
킁

너··· 너너너너
고··· 공주잖아!!
왜 우리 집에
왔어?!!
침략이야?!

우리가
샘이 많아서
그런지
암컷들을 되게
싫어하더라구.
우리 집 공쥬는
우리뿐이야!
뭐래.
뭐… 싸우지만
않으면 됐어.

강산이는?
부들
부들

이 친구···!!
붕붕이가 없어!!!
어쩜 좋아──

게다가
다리가 반밖에 없쪄!!
어쩜 좋아──

많은···
사연이 있는
친구인가 보다···
뭐래?

가야가
우리, 강산이랑 케미가
안 맞나 보다.
싸우지만
않으면 돼.
부담

마음껏
뛰어놀아.
꺄

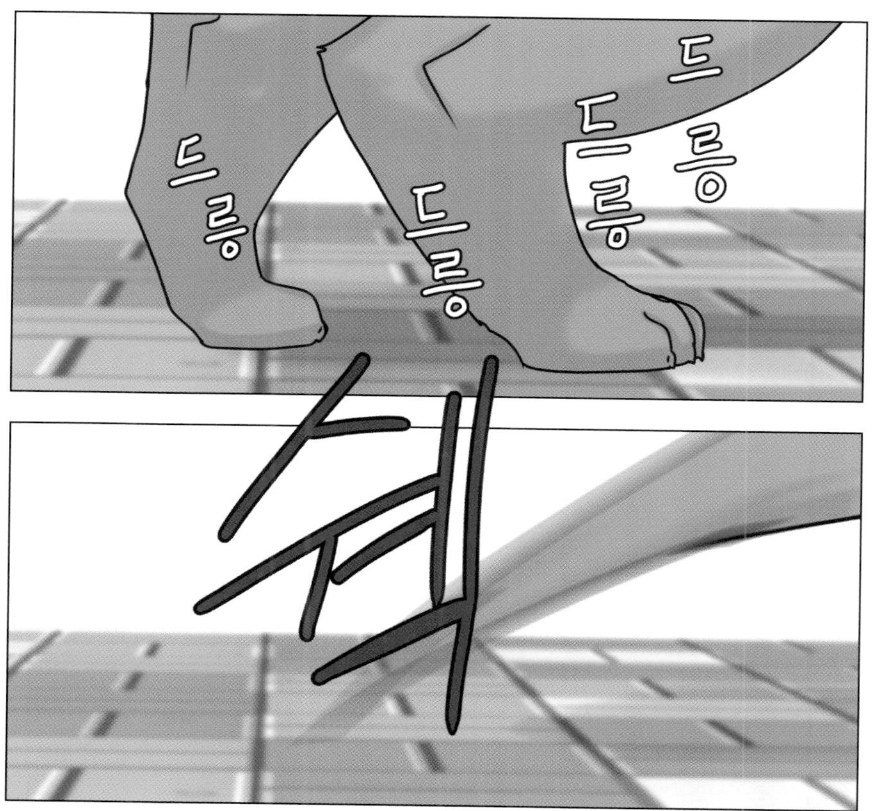
드릉
드릉
드릉
드릉
쉭

저… 저런 애가
서울 아파트에서
어떻게 살았대?!
그래서 내가 하루에
3시간씩 산책하잖아.

3시간?!!
너 일은 괜찮아?
어떻게든… 내 아집으로
데려온 아이니까
최선을 다해야지.

그렇게 지극정성으로
돌본 애를 입양
보낼 수 있겠어?
네 눈에 차는
사람이 있긴 할까?
이렇게 지극정성으로
돌봤으니까 아무한테나
못 보내지.

나보다
나은 사람 아니면
안 보내.
움찔

친구야
살살 달려.
가야 5보=강산이 1보

그렇게 달리다간
남은 다리마저 닳아버릴 거야!!
걱정!!
뭐래.

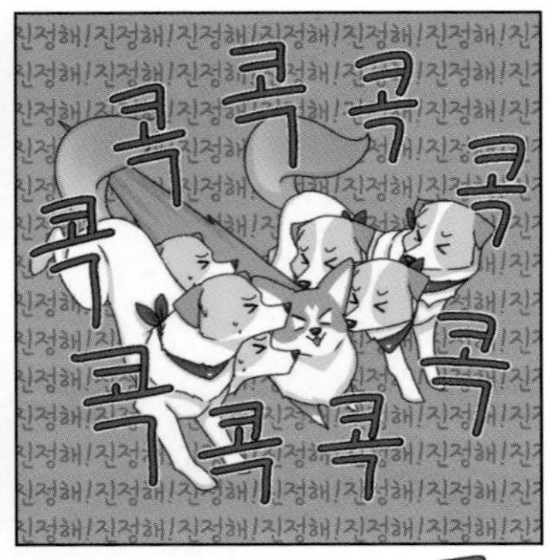
진정해! 진정해! 진정해! 진정해!
콕콕콕콕
콕콕콕콕

콕콕콕콕
콕콕콕
콕콕콕

퍽
꺼져!!
강산아!!!

피융
아이쿠야!!!!
가야야!!

튕겼어…
용수철처럼….
왜 싸워
왜 왜!!
아~
저거 알지~
이 녀석···
꽉··· 찼다.
몸이 약한
프렌드구나···
강산아!!
왜 가야를
콕콕 대?!

아빠 왔다.
빠뎔!
이
타이밍에?!
할부지!
빠뎔!
아빠 스톱
다가오지 마!!!

가야야!!
마음의 상처
아저씬 왜
머리가 네모야?!

성격
겁나 나쁘네
!!!!
처음 온 곳에서
처음 만난 게
많아서 그래!
울
할부지한테
왜 그냐!!
여러분
진정!!
진정!!
화가 많은
프렌드구나.

오늘도 세상은
평화롭습니다.

끙~

저렇게 성격이 나빠서 누가 입양해.
작은 방에 분리

지금껏 주변에 여자들뿐이라서 괜찮았는데 (특히 머리 긴)
남자한테 안 좋은 기억이 있나 봐.

보호소분한테도
처음에는 심하게
입질했다고 했지만

오래 같이 있고
요전번에 만났을 땐
괜찮았거든.
극복할 수
있을 거야.

집에선 편하게
쉬어야 하는데
신경 쓰게 해서
미안해.
다음에는
여기 오는 일
없게 할게.
그래… 재도
빨리 자기 가족
만나야지.

톡
톡

슥

아니
이건!!!

로코코
?!!
아무 말 대잔치이므로 깊이 생각하지 말자

이… 이런 미모는
문화재청에
등록해야 해…!!
박물관
덜덜
덜

치…
침착하자.
침착하게 박물관에
전화해야….

꾹

아니
이건!!!

아아….
이건… 마치…
르네상스….
아무 말 대잔치이므로 깊이 생각하지 말자
바로크
?!!
아무 말 대잔치이므로 깊이 생각하지 말자

너
왜 울어?!!
끄덕
끄덕
끄덕
끄덕

할무니! 할부지! 엄마!
멍둥이 끙가
이~따만큼 쌌어!!

두다다
펄쩍
이건…!
고딕…!
아무 말 대잔치이므로
깊게 생각하지 말자

우리 명동이
왜 삐졌을까?
웬일로
할머니가 있는데도
엄마 껌딱지야?

결국 명동이
엄마는 내가 아니라
너라는 거겠지….

하지만 나도
내 갱얼쥐 있지롱.
쓰담
쓰담
내 새끼가
이렇게 귀여운데
크기가 뭔 상관이야.

그럼 우리, 강산이가 내 동생이야? 이거 촌수 어떻게 되는 겨?
까르르르
ㅎㅎ
하하하 개 족보군.

…….
소담
소담

이제 가야 내가 볼 테니까 너도 우리, 강산이 보고 와!

가야 자고 있으니까 괜찮아.
끄오오오오오오오오
음냐
음냐
가야 완전히 뻗었네.

너도 우리, 강산이 예뻐하고 싶었을 텐데
가야만 보고 있게 해서 미안.

아냐….
내가 가야 예뻐서 하는 거니까
나한테는 미안해하지 마.

가야 입양 글
댓글 확인 중
심심
심심

그거 하지 말고
우리랑 놀아요~
쓰윽

옹~
핸드폰 하지 말고
우리 만져줘?
쓰담
쓰담
아구 예뻐라~
우리 공주~

강산이는
누나 다리 차지했어?

거기에
쏘옥 하지 마
!!!!!!
쏘
옥

서른이나 돼서
댕댕이한테
똥침이나 맞다니….
수
치

…….
명동이도
이리 온~

명동아
!!!
끄
카펫에
똥 싸면
어떻게 해?!
대…짱?
대짱
똥싸개?
쌩ㅡ

설마… 설마 아니지
명동아?!
김명동 LV4
HP
명동(이)가 승부를 걸어왔다!

쿵
김명동 LV4
HP
명동이는
몸통 박치기(을)를 썼다!!!

효과는 굉장했다!
다나 LV30
HP
쌩

명동이는
쉬(을)를 쌌다!!!
쉬
다나 LV30
HP
아우
시끄러…
명동이가
왜 저럴까….

나라야
장 보러 갈 건데
같이….

오늘도
탱탱하네!!
으르르르
탱글

감히 my 공쥬 집에서
my 마덜한테…!!!
크르르르르
↑가야가 자기보다
작아서 만만한 우리.

할짝
할짝
그럴 수도 있지
진정해 진정해.

너는 집이 침략당했는데
뭐 좋다고 실실거려?!!
먕먕먕먕
명동아!!
그거 내놔!!!!
투닥
투닥
투닥
투닥
으르르르
왁
왁
아아아악
시끄러워!
다
나가!

자~
밖에서 놀자~

그건 뭐야?
얘들 선물.

지하철에서
땡처리하길래
이것저것
넉넉하게
사 왔지롱.
댕댕이들
좋겠네~
우루루루

고무 장난감
pick!
꼬끼오릭

봉제 인형
pick!

터그 놀이 장난감
pick!
삑삑이 공
pick!
삑~

얘들 장난감
취향 다
다른 거 봐~~
다들
자기 닮은 거
골랐네~
꾹끼이

꼬끼오옭

촤악
호러블!!

옭오옭

쟤네들...!!
고무 장난감이랑 봉제 인형을
뜯는 걸 좋아하는 거구나…!!
대짱~
이거 줄게요~
으아아악!!
호러블!!
가야는
언니가 놀아줄게.
자~

대짱이
싫어해···
툭
악

빽.
꽁차
꽁차
둘이 잘 노네.
앗!! 가야 표정 봐봐!!
가야는 진심이야!!!
게다가 강산이가 눈치가 없어서 밀려주질 않아!!

와아…
강산이
대단해….
자업자득…

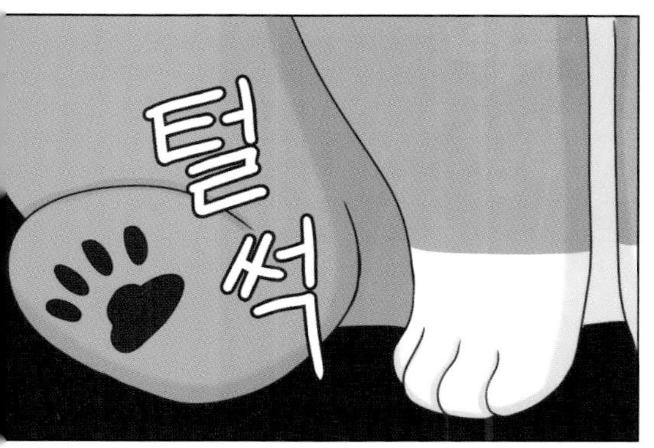
털썩

?
?
…….

가야가
우리 애들이랑
케미가 안 맞네….
저리 꺼져!!
으르르
더 놀자~
하하하.

그럼 명동이는
엄마랑 공놀이할까?
삑삑
명동이는 공놀이할 기분이 아…

앙♥♥♥
가져와!!
펄—쩍

재밌어?
이건 반칙이잖아!!
공놀이는··· 공놀이는···!!
쿵
쿵

가져와!
너무
재밌다구!!!
펄—쩍

쿵
삑
쿵

정말~ 어쩔 수 없지~
명동이가 엄마랑 놀아줘야지~
♪
♪
절뚝
절뚝

자!
던져!
툭

명동이
다리 아파?
뭐?!

명동이
다리 다쳤나 봐,
갑자기 걷는 게 이상해.

멍동이
이리 온.

싹
깜짝

싹
!!

명동이 다리
다쳤나 봐…!
와락

이렇게
갑자기?
방금 공 잡다가
헛디뎠나 봐….

내가
공 던져서…!
꼬옥

명동이
크게 다친 거면
어쩌지…?

절뚝
절뚝

점점 절뚝여….
여긴 동물 병원도 멀고 명절이라 연 데도 없는데….

요즘 너무 평화롭다 했어…
다리 약하니까 조심해야 하는 거 뻔히 알면서….
토닥
토닥

어떻게… 다른 사람도 아니고 내가 명동이를 다치게 할 수 있어…
내가 명동이 엄만데….

너무 자책하지 마…
그래도 예전에 다쳤을 때보다는 괜찮아보여.

맞아… 큰일 아닐 거야.
봐, 식욕도 있잖아.

지켜보다 상태 안 좋으면
내일 제사만 보고
서울로 올라가야겠어.
오물
오물
우리
명동이….
꼬옥..

명동이 물?!
목말라?!
여기
여기!
헥
헥
저렇게 많이 주면
어떻게 해!!!
아플 땐
잘 먹여야지!!
싸우지
망~~
와~
노는가 보다~
명동이 맘마?!
배고파?!
여기
여기!
츄릅
덥니??
춥니???
엄마한테
안겨서 산책 갈까?
쪽
쪽
쪽
쪽
쪽
쪽
쪽
끙아??
쉬야??
명동이가 아프면
엄마도 아파.
너 잘못되면
엄마도 못 살아.
조금
성가시지만···

명동이는
이래야지!!

끼
응…
아,
가야 혼자 있어서
외로운가 보다….

나 명동이 때문에
정신없어서 그러는데
가야 좀 신경 써줄래?
응, 그래
알았어.

세상에…
명동이 다친 뒤로
가야를 잊고 있었어….

다나야, 나라야.
너무 개들한테만 매여 있지 말고
음식이나 더 하자.
어…
그래.
※ 강아지들이랑 분리되게
명절 음식은 다용도실에서 함

명동이는
다리 아프니까
가만히 있겠지.
우리야, 강산아.
장난감 가지고
놀고 있어.

빅

콰악

튼튼해···!!

네 속 안을
내놔!!
공쥬는
속에 있는 걸로
놀고 싶단 말이야!

안쪽에 폭신이 내놔!!
폭신이 내놔!!

아앙 아앙!!!!
안 뜯어져
이 김강산 같은 것!!
아~앙
버둥
버둥

그게 아니지
그게 아니지.
그렇게 힘만 준다고
뜯을 수 있는 게 아냐.

이렇게 연결되는 부분을 집중적으로 앙앙하는 거야!
앙
앙
앙

대짱 똑똑해!!!

그래서 구멍이 나면
그 구멍을 공략해서

역시 대짱이 짱짱이야!!!!
엣 헴!!

우우~
그린넥스

꾸욱

끼익

빼꼼♥

폴짝

혼자 뭐 해?
빙글
이거 줄까?
빙글
오늘은 기분이 어때?
빙글
나랑 놀까?
빙글
빙글

으르릉
거!! 되게 귀찮네!!!

나는 네가 참 좋은데···

살랑
살랑

살랑
살랑

살랑
살랑

하트!
엄마 일하고 올게!
아빠랑 집에서
기다려!
바들
이러면
엄마 출근 못 하잖아
봐, 너 이 녀석.
바들

앙!

빨각
쭈우우욱

빠
뭐야,
뭔 일이야?!

집안
꼴!!!
안면몰수

후다닥
김우리!
솜 먹으면 못써!!
앙,
우리꺼어어
명동이는
아파서 아무것도
몰라유.
오빠처럼
얌전히 있어야지!

강산이가 가야한테
꼬리를 물렸나 봐….

뭐?!
강산이 피났어?
아니,
침만 묻었어.
놀랐져요
?

뭐?!
강산이가 물렸다고?!

방에 강산이가
들어와서 가야가
놀랐나 봐….
놀랐어요!
으르릉
물린 건 아니고
침만 묻었어.

감히
우리 집 똘빽이를
울려?!!
우… 우리야!
화내지 마.

미… 미안!
내가 더 신경 썼어야
했는데…
가야가 원래는
강아지랑 사이가 좋은데
새로운 곳에 와서
예민해져 있나 봐.

으르르
문을 제대로
안 닫았나 봐,
내가 잘못한 거야.

가야
싫어하지 마….
할짝
할짝

후
할짝
할짝

…개가
임시보호라
다행이다.

개가
입양한 애였으면
매번 너희 집 갈 때나
여기 올 때마다
다들 눈치 봤을 거 아냐.
울
할머니한테
그럼 못써!

우리 집도
우리 집이지만
걔도 불쌍해.

나물 음식은
자고로~~~

저거 다
우리, 강산이 걸까?!
우리 거야!
한 입도
안 줄 거란 걸
알고 있음.
츄르르르르

우리, 강산이 첫 명절.

나 왔네~
후다다닥!
빠덜!!!

아이쿠우우
우리 똥강아지들~
붕
붕
붕
붕
저기 들어가면
이렇게 될 거야.
퍽

벌러덩

척

왁!!
명동아
!!!

왜 그래
뭔 일이야?!
왜 그래?
또 헛딛었어?!
덜
덜
덜

아빠 왔다고
마중 나가려다가
또 삔 건가?
또
슬개골 탈구인가
그런 거 아냐?
명절 때마다
왜 이래….
다리 덜덜
거리는 것 좀 봐….

오구오구
내 새끼 아파서
어째에에에~
와…
아무것도 못 하게
하네.
다리가 아프니까
어리광이 늘었나?

살랑
살랑

가야야,
잠시만 정원에서
놀고 있어.
꺄아~

뒹굴 뒹굴
뒹굴 뒹굴

뒹굴 뒹굴
뒹굴 뒹굴

삭
삭
헷
으

호-오

누구?

찰랑
엄마 닮은
아저씨?!

주춤 주춤

꺄아ー
폭 삭

하푸
하푸

폭 삭

파샷

....

....

짜잔
고구마?!

비틀
비틀

푸슈슈~

점점 못 걸어…!

안색은 네가 더 나빠 보인다…. 잠 못 잤어?
꺼이
꺼이
명동이가 아픈데 내가 어떻게 자!

상태를 보니까 아무래도 수술을 할 거 같아….
차례도 지냈으니까 빨리 서울로 올라갈게….

추석이라도
응급병원은
열 거야….
바들
바들
굴굴
그 상태로는
운전 못 해.
다나 너
푹 자고 가라.
너도 서울 가면
당장 운전면허 따.
앞으로
어떻게 될지도 모르는데
운전은 할 줄 알아야지.
어…
알았어.
그럼 언니,
내가 명동이랑 애들
보고 있을 테니까
언니는 한숨 자.
가야는
밖에서 놀고 있으니까
걱정 말고.
끙~
끙~

끙
끙
강산 화이팅!
화이팅 강산!
차례 음식이 있는
다용도실
강아지 절대
금지 구역
들어가면
혼~나!

쫑
쫑

어젠 이렇게
밀었더니 열렸는데에에.
끄우
우우우
널 믿은
내가 김강산이야.

열. 어. 줄. 까?

이러면 안 되지만
대짱이 지범을
보여주지.

이 문은
앞으로 미는 게 아니라
두근 두근
두근 두근

옆으로
미는 거야!!!
촤악
세상에!!!
천재!!!
압도적
천재!!!!!!
꺄―――악

I'M
대짱!!!!!!!
대짱
대짱
대짱
대짱
대짱
대짱

명동이…
거기 들어가면
안 된다고 했지?!

합!

저 봐
저 봐
저 봐!!
동생들 줄
전리품
피
융
저 녀석 뛰는
거 봐!!!

멀쩡하잖아!!!

이제
들어봤자
소용없어!!!
싹
반대쪽
다리야!!!

이 녀석!!
어쩐지 이상하다
했어!!!
동생들
줄 거야아아아!
나는
대짱이니까!!
엄마 속이
문드러지는 것도
모르고
꾀병을 부려?!

꾀… 꾀…
꾀병?
딱
그렇다니까!
방금 뛰는 거
봤잖아!!

특히
다나 네 앞에서만
아픈 척이야!!

따
아
안

슬개골 탈구도!!!
근육이
다친 것도!!!!
뼈에
문제가 생긴 것도
아닌!!!!
단순꾀병

득도?!!

뭘 인자해지고 있어.
명동이가 꾀병 부렸다는데 화 안 나?
흠?

아픈 게 아니라니 그저… 감사 압도적 감사…!!
OK
온 누리에 스페셜 땡큐…!!!
꺄 자비로워!!

분위기 보니까
안 들킨 거 같은데…?

여봐 여봐 여봐,
또 아픈 척하잖아!
이건 혼구멍
내야 해!
싹
싹

언니가
오냐오냐해주니까
그러는 거잖아!
까딱
까딱

얼마나
관심이 고팠으면
이랬겠어…
진짜 아플 때엔
참는 애인데….
꾀병을 부려야 하는
상황을 만든
내 잘못이지.

다친 게 아니라니
정말… 정말
다행이야.
부비
부비
이번 추석은
명동이 꾀병에
속아줄래.
꼬옥

딸내미들
맛있는 거 해줄 거야.
고구마 구웠어!
나와서 먹자!
와아~

아빠랑 가야
왜 이렇게
친해졌어?

몰라?
안 으르렁대더라?
신기하네.
찰랑
고구마!!
서… 설마.

뭐여,
이거.

…….
이것도 ok인지
다시 한번 생각해보는 중▶▶▶▶

약간 미묘한데
이것도 ok인 건가?

고구마
맛있쪄.
합
고구마 덕에 관대해짐.

뭐야?
대체 뭘
OK받은 거야?
재가…
긴 머리한테…
관대해.
하구
하구
찰
랑
할머니
공주님 같아!
뭔 개가
외모를 따져?
전 주인이
머리가 길었는지
긴 머리한테
관대하더라고.
이거랑 저것도
긴 머리로
쳐주는 거야?

완전
천재…!!
완전 바보.
이거 진짜!!
진짜 맛있다!!!
하구
하구

꺼억♥

가야 SNS
써야지~

우리 공주 집이야!

강산이도
좋아요~~

명동이도!
명동이도!
파닥
파닥

너 다리 아프다며?!
마킹 어떻게 할 건데?

물구나무
누구보다도 높이! 누구보다도 넓게!!
marking
이것이 김명동…!!
대···
대짱!!!!

진짜···
대짱은··· 짱이야···!
와… 끝까지 설정 지키는 것 좀 봐.
명동이 안아죠···

그래도 명동이는 서울 가면 응급병원이라도 가지.
우리, 강산이가 다치면 정말 큰일이겠어.
대짱은··· 어쩜··· 너무 멋져···
으쓱 으쓱

이 정도로 크면 병원 한번 데리고 가는 것도 힘들겠다.
입원하면 엄마 아빠는 일 때문에 자주 보러 다닐 수도 없을 테고.

언젠가…
언젠가 우리가 우, 강이를 돌봐야 할 일이 생기겠지….

우리, 강산이한테 무슨 일 생기면 내가 서울 데려가서 돌볼게.
오키도키.

네 마리…

아무리 생각해도 무리야….

가야가
고구마를 얼굴로
먹었나 보네.
얼굴 닦자.
꼬질
꼬질

들어가기 전에
털도 빗자.
장갑
빗
강산이도
이리 와.

강산이
털 엄청 빠지네.
그러는
걔야말로!
빗질 좋아!
빗질 싫어...

좋은 승부가
되겠는걸.
그런 걸로
경쟁하지 마.

우리도 빗자.
마덜~~
졌다!
푸르르르르르
두 마리는 못 이기지.
다나야 겨울 되기 전에 우, 강이 옷 좀 사서 보내라.
우, 강이가 덕진이보다 크지? 나중에 애들 몸길이 재서 보내줘.
난 공주니까 빗질 좋아!
옴 놈
놈 놈

음… 겸사겸사 가야 겨울 옷도 살까.
겨울이 되기 전에 입양 갈 수도 있으니까 두고 봐야겠네.

…….
시원해~

다나야, 잠깐만.
?
더 빗겨줘요 마덜!!

우와,
덕진이 옷이
가야한테 딱이네.

이걸 아직도
가지고 있었어?
응….
예뻐~
공주도 옷…
이걸 줘도
돼?

여기 있어봤자
쓸 일도 없는걸.

덕진이가
좋은 가족 데리고
와줄 거야.

네모난 거랑 놀지 말고
명동이랑 놀아줘.
낼러덩
~~~!!!
저 봐 저 봐 저 봐,
또 아픈 척하잖아.
꽈
욱
우리
명동이….

그 개똥딱지만 했던
녀석이
이렇게 커서
요 작은 머리로
꾀도 쓰고….
~~~

뿌부!
뿌부
부부
부부부뿌
부뿡!!

입방구♥
뭐야
명동이 배에
뭐 했어!
뭐여
뭐여?!!
명동이 핑크 배
너무 귀여워.

까딱
쌱
배 숨기면서도
다리 어필하는 거
봐봐.

까딱
우리 명동이…
어릴 땐 발바닥도
핑크했는데
이제 까매졌네.
까딱
그
개똥딱지만 했던 게
이만큼 커선….
까딱
까딱

쓰읍읍읍으으으으읍
하하하
콩콩
킁킁
강아지 발에서
꼬순 냄새가 납니다.
이마에선
각설탕 냄새가 나요.

???!!!??
왜 그래
명동아~
싹
엄마 꼬순내
더 맡을 건데~

우리 명동이
외로웠쪄요?
엄마가 얼마나
명동이를 사랑하는데
모르겠어?

엄마가 널
얼~~마~~나
사랑하는데에에.
명동아,
사랑해.

슝
엄마의
사랑이 필요하면★
언제든지 와★
덥석
쾅!!
엄만 널 언제나
사★랑★하★니★까★
언니,
뭐 써?
가야 돌보면서
있었던 일들이랑
입양 희망 사항
적고 있어.
너는 가야가
어떤 사람한테
입양되었으면
좋겠어?

어느 정도의 경제력,
가야만을 위한 시간을 많이 줄 수 있고,

…가야를 평생 책임지는 건 당연한 거고.
앞으로의 미래가 어느 정도 예측 가능한 사람….

…나 같아도 나한테 입양 안 보내.

언니,
서울 가면 나도
운전면허 딸게.
그동안 핑계 대면서
언니한테 다
미뤄뒀던 거 같아.
그리고 나도
거리 입양제
같이 갈게.
그 공원이
산책하기도 좋고
강아지 운동장도
있다고 하니까
명동이도 같이 가자.
이틀밖에 없는 주말을
그렇게 보내도 되겠어?
나도 뭐라도
해야지.
가야가
새 가족에게 갈 때
당당할 수 있게.

꾀병 부린 거 아냐!!
털 다듬었던 거야!!

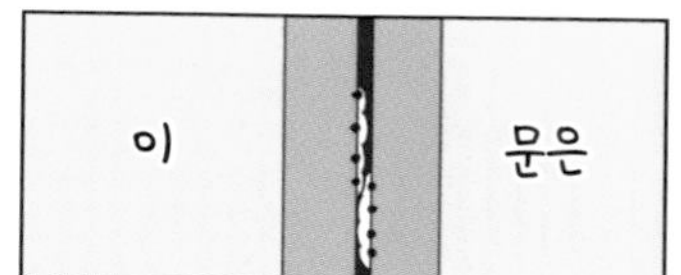
이
문은

옆으로 여는 거야!!!
촤아

명절 음식
정리 중

저긴 들어가는 거 아니라고 했어 안 했어?!
출입금지
삐
삑
대짱이 준 장난감
속 나왔쪄!
꾹 꾹

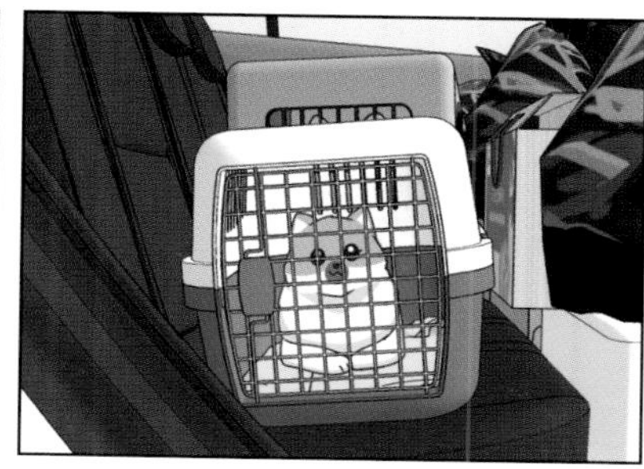

우~~
많이 안 들어가
먹이고픈 거
잔뜩 있는데!!

다… 다음에는
명동이 켄넬
하나뿐일
테니까….
바이-바이.

쭈굴
거리지 마!
좋은 일 하면서
왜 그렇게
눈치를 봐!
팡!

다음 명절도
데려와도 되니까
조급해하지 말고
타협하지 마.

니들이 웃으면서
보낼 수 있는 곳으로
찾아.

잘 지내라
나의 무리들아!
또 와야 해?!!
대짱!!!!!!!!!

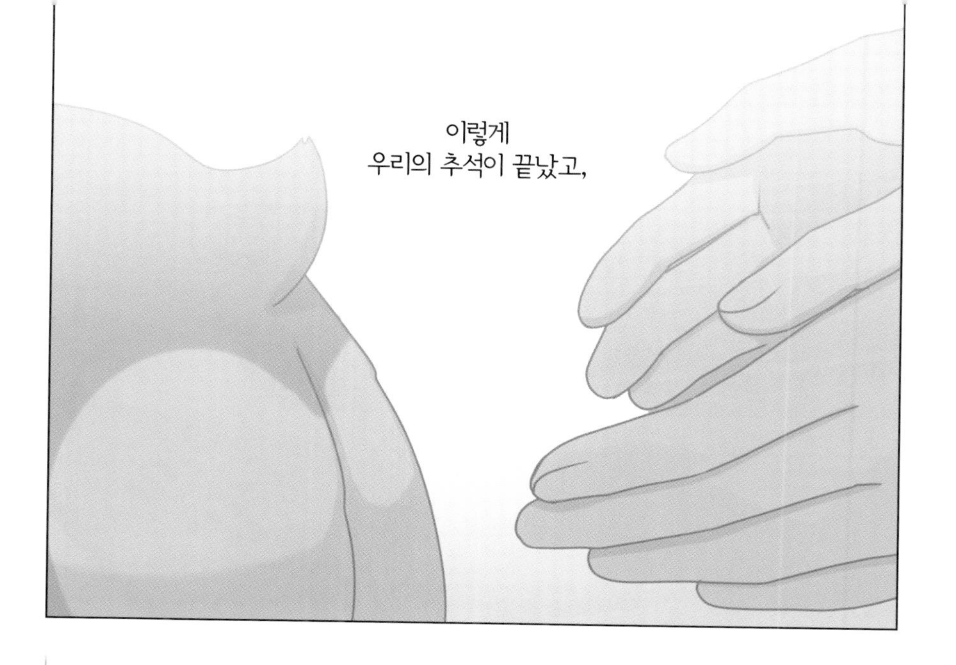
이렇게
우리의 추석이 끝났고,

가야가
부모님 집에 오는 것도
이번으로 끝이었다.

그리고

모두가 웃는 도시
미소시

미소시 유기견 거리 입양제 세상의 모든 개들의 행복에

가족을 찾습니다

거리 입양

가족을 찾습

할짝
할짝

가야가
입양 가기 전에

멍더랜드의 아이들도
한 마리 빼고 모두 입양 간다.

매주 토요일
미소시 가족공원.
거리 입양제는 11시부터지만
봉사자들은 9시부터 모인다.

세개행진 소속의
봉사자들과
세개행진의 SNS로
모집한 일반 봉사자는
리 입양제
세상의 모든 개들의 행복에 진심
미소시 유기
거리 입양제
9시부터 천막을 치며
보호견들을 맞을 준비를 하고

10시쯤부터
거리 입양제에 참가할
임시보호자들과
보호견들이 도착한다.

※ 각자 이동하거나 세개행진의 이동 봉사자님의 차로 이동

봉사자님들이 해주실 일은
한 시에 강아지들 점심 배급과
천막 안에서 강아지들의 안전 관리, 대소변 치우기, 예뻐 예뻐해주기입니다.

강아지들을 산책해주실 분은 최소 1인 1견, 지정 리드 줄로
공원 내 지정 산책 루트로 30분간 산책해주세요. 안전이 제일 중요합니다!

우리 애들이 얼마나 예쁜지 보여줍시다.
유기견이란 편견으로 가려졌던 강아지들의 진짜 모습을요!

파이텅

산책 갈 강아지 있나요?

그럼 저희 애들 부탁드려요.
사람이 너무 많아…

몽실이와 훈장이는 바쁘니까 행자부터 할까요?
토닥
토닥
토닥
네… 살구는 행자 없으면 불안해하니까 저도 살구랑 같이 갈게요.

※ 푸른 천막에는 입양 대상 강아지만.

안절
부절

슥
흠칫

으르르르르
가야야!!

강아지
안녕.
꾸벅

찰랑

생글
생글
안심
후
쉬운
강아지.

어때요? 마리 씨?
새로운 강아지들 많이 왔는데
느낌 오는 강아지 있나요?
반가워요!!
몽실이 알죠?!
역시 제 엄마예요?!
엉덩이
토닥해줘요.
폴짝
폴짝
다 예쁘죠,
그런데 아직 잘
모르겠어요.
다나 씨,
모르는 게 있으면
마리 씨께 물어보세요.
입양하려고
반년 넘게 매주
입양제에 참가하고
계시거든요.
반년이요?
나 좀
안아줘어어.
몽실이
여기 있어요!

입양 절차는
산책 봉사 3주 아닌가요?
세상 모든 개들의 행복에 진심
입양 조건
1. 중성화, 마이크로칩 삽입은
필수입니다.
2. 입양 책임비는 20만 원입니다.
책임비는 다음 강아지의 병원비로 쓰입니다.
3. 주 보호자의 연령은
25세 이상이어야 합니다.
65세 이상은 공동입양자가 있어야 합니다.
4. 사후관리를 위해 수도권 지역이 입양
우선순위가 됩니다.
5. 실외견, 상업적 이용(식용, 번식, 판매)
입양불가합니다.
6. 한 번에 한 마리씩만 입양할 수 있으며
입양 일 년 후 재입양 자격이 생깁니다.
7. 다견다묘 가정의 경우
합이 3마리 이상일 때 입양이 반려됩니다.
세상 모든 개들의 행복에 진심
입양 절차
1. 거리 입양제에 직접 방문하여 운영진과 상담,
입양 신청서 작성
2. 입양 심사 대기(일주일 소요)
- 심사가 통과되었다고 해서 입양 확정이 보장되는 것은 아닙니다.
3. 3주간 입양제에서 입양 희망견과 산책봉사.
(상황에 따라 예외 있음, 필요시 가정방문,
또 다른 입양 희망자가 있을 경우 동시 진행하며
더 적합한 환경으로 입양 확정이 됩니다.)
4. 입양 확정, 중성화 비용과 책임비 입금.
5. 세개행진 연계병원에서 중성화 수술.
(중성화 수술이 되어있는 경우 바로 입양)
6. 입양
입양 당일 현재 거주 가족이 모두 참석해야 합니다.
주보호자의 신분증 사본 지참. 가족 사진 촬영.
촬영사진은 거리입양제 sns에 게시를 수락하셔야 합니다.
7. 소식 전하기
입양 후 3달간은 주에 1회. 그 후엔 달에 2회. (sns을 통해서도 가능)
반려견 등록은 입양 후 1년간은 세개행진 운영진의 명의로 되어 있으

직접 만나보고
입양하려고
참가하는 거예요.
강아지를
키워본 적이 없어서
여기서 공부도 하구요.

처음 키우는데
유기견…
대단하시네요….
네?

그… 그게
처음 키우는 친구한테
유기견 입양을 추천했다가
처음인데 유기견은
무섭다는 소리를
들은 적이 있어서요.
유기견 센터는 어때?
새끼 강아지도 많고
요즘엔 포메도 많아.
처음 키우는데
유기견은 무서워.
시즌 1
처음 주희가
주주 데려오기 전.

보호소에서
직접 데려오는 거라면…
겁나긴 해요.

저희도 처음에는
보호소에서 데려오려고
했다가 말았거든요.

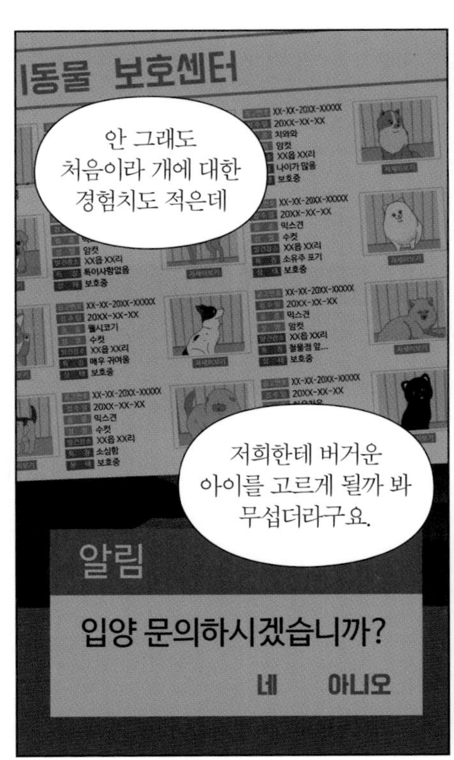
동물 보호센터
안 그래도
처음이라 개에 대한
경험치도 적은데
저희한테 버거운
아이를 고르게 될까 봐
무섭더라구요.
알림
입양 문의하시겠습니까?
네 아니오

그래서
공부부터 하다가
여기에 오게 되었어요.
유기견 거리 입양제

어떤 아이들인지
제가 직접 볼 수 있고
강아지들을 겪어보고
공부하는 거랑
그냥 공부하는 거랑은
천지차이니까요.
쟤네는
왜 저러는 걸까요?
빙글
빙글
▲기쁨의 엉덩쇼
◀자기 pr

멋지세요.
다들 마리 씨처럼 준비하고
입양하셨으면 좋겠네요.
대단하긴요,
겁쟁이라서 그래요.

그리고…

직접 만나보지도 않고
단정 짓고 싶지 않아요.

이분…
좋다….
조곤조곤한
말투도 좋아.

이분이
우리 가야 입양해
주시면 좋겠는데….

다른
임시보호자들

라이벌…!!
저기요!

강아지들
천막 밖으로
꺼내시면 안 돼요.
눈으로만
봐주세요!

강아지들이
참 예쁘죠.
미안해요,
너무 예뻐서 그만.
이리 온
강아지.

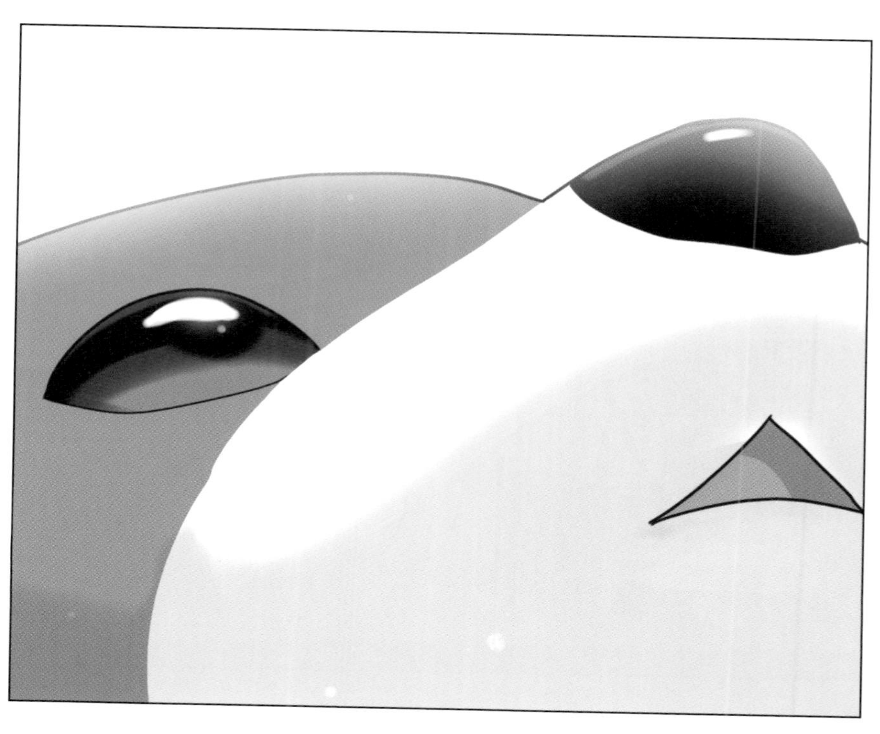

꼬옥♥
잡히셨네요.

반려견 운동장
와~
놀이터~

푸릉
푸릉
푸릉
뉴페이스!!

여기서 놀고 싶으면
우리랑부터 놀아라!!!
호빵
술빵
찐빵

번쩍

거리 입양제의 아이돌
다음 산책할 강아지!
저요!
저요!
저요!

점심시간
세개행진 특제 강아지 맘마.

와구
와구
와구
와구
와구
누가 보면
내가 굶긴 줄 알겠다!

꼬옥
꼬르르

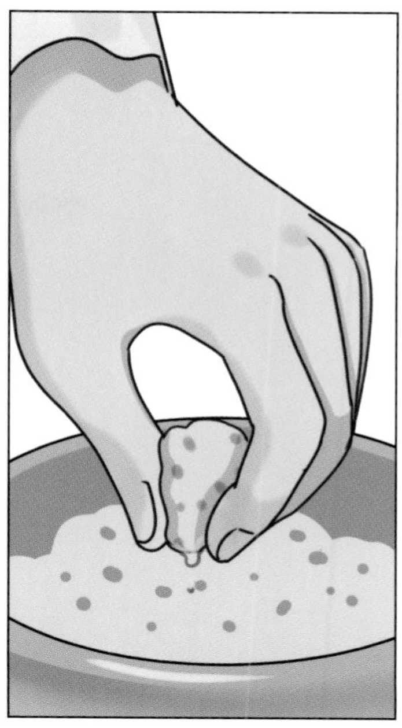

비숑 보호자

노곤
노곤

부럽···

폭신
폭신

끄덕
일로 와.
일로 와.
쓱

지~잉

낮잠 타임인가 봐
귀여워.
이런 애들이
버려졌다고?

유기견은 다 병들고
더러운 줄 알았는데
얘네들은 되게 행복해 보이네.

입양 안 가도
되겠는걸?

입양해도
저만큼 예쁘게는
못 키울 거 같아.

맞아, 충분히
잘 살고 있네.

따
악
다음 주에도 놀이터 오세요?
저흰 맨날 있어요.

미소시 유기견 거리 입양제

이걸로 오늘 거리 입양제는 마치도록 하겠습니다.
천막 수거 전에 보호견들부터 이동 시작하겠습니다.

가야야, 언니~

아
꺄

잠깐만, 멍더랜드 애들 켄넬 넣는 것만 도울게.
빨리!! 빨리 집 가자 빨리 집!!!

실룩
실룩
훈장아
집에 가야지.
행자야
일어나자 응?
흔들
흔들
퉁

몽실이도
켄넬 들어가자.

세상의 모든
개들의
으르르르

몽실아….
꼬옥

어휴,
마감할 때 보면
아이들 반응이
나눠진다니까요.

가정에서 임시보호를 받는 강아지들은
자기 집으로 돌아간다고 신나하고

유치원이나 훈련소 같은 단체 시설의 아이들은
돌아가면 또 사랑을 나눠야 하니까 가고 싶지 않아 해요.

여기 있는 애들은 임시보호자님들께 사랑을 많이 받고 있지만
그래도 자신의 가족이 있어야 해요.
사지말고 입양하세요.
Do not buy, ADOPT
한 나라의 위대함과 도덕적 진보는 그 나라에서 동물이 받는 대우로 가늠할 수 있다.
마하트마 간디
모금함

월요일

화요일

수요일

목요일

금요일

토요일
안녕,
몽실아.

찰랑
오늘은
엄마와 명동이
둘이 데이트.

몽실아?

으르르르

캉캉캉캉
멍멍멍멍

두분다
그냥
일어나요!
컹 컹
멍 멍
잘못하면
물려요!

몽실이
안아주지 마세요.

애정결핍이 심해서
계속 한 사람이 안아주면
그 사람한테 집착하게 돼요.
안아주세요!
안아주세요!
유기견
거리 입양제

유기견
거리 입양제

…
유기견 거리 입양제

추욱…

미안해요…
많이 놀라셨죠?
아니에요.

세개행진
몽실이 과거는 세개행진 SNS에서 읽었거든요.

몽실이의 가족을 찾습니다.

몽실이는 xx 고속도로에서
구조된 아이입니다.
한 번 입양을 갔으나 심장 사상충
양성 판정을 받고 하루 만에 파양되어
보호소로 돌아왔습니다.

안락사 직전에 #멍더랜드로 구조되어
심장 사상충 치료를 받고
새로운 기회를 얻었지만 몽실이는
아직 가족을 만나지 못했습니다.

두 번 버려졌는데도 사람이 너무 좋아해
만나는 사람마다 안아달라고
조르는 몽실이를 따뜻하게 안아주세요.

몽실이 임보 이야기 보러 가기 @멍더랜드

좋아요 1134개

#세개행진#유기견입양#유기견#임시보호 #유기견거리입양제#미소시가족공원#몽실이

도로에서 유기당하고 입양 하루 만에 파양이라니 애정결핍이 생길만해요.
…맞아요.

몽실이가
나쁜 게 아니에요.

가족이 생겨야
애정결핍이 없어질 텐데
애정결핍 때문에
가족을 못 만나고 있으니
더 안타까워요….

명동이와 술빵들의
즐거운 한때.

여기 있는 애들
다 입양할 수 있는
애들인가요?
네.

어떤 애가
좋을까~

으르르르

꺄아아아

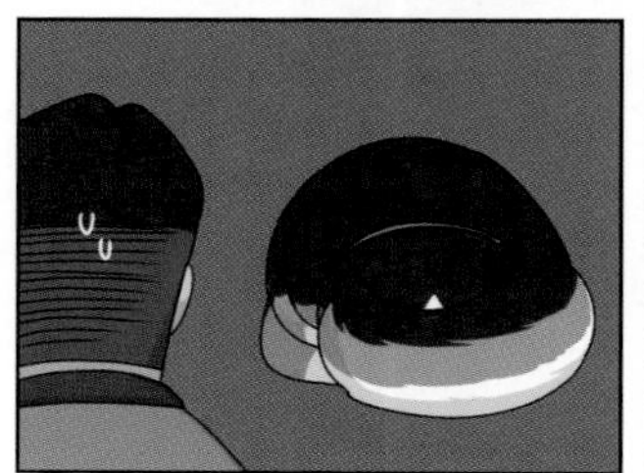

강아지들이
취향이 있어요?
제 아이들이
낯을 좀 가려요.

거기 푸들도
유기견이죠?
보여주실래요?
몽실아,
잠깐 나와볼까?
!!

폴짝

몽실아, 얼굴
보여드려야지.
아~ 됐어요,
갠 이미 임자 있네.

오,
아래에도
한 마리 있⋯.
긁
긁

쿵 실

미⋯ 미안
너는 내가
취향이 아니다.
!!!!

몇 번 눈에 익으면
또 다르겠죠.
다음에
또 올게요.
추욱

우리 훈장이가
얼마나 매력적인데!!
끄덕
끄덕
쓰담
쓰담
쓰담
쓰담
저 사람 눈이
옹이구멍이야.

훈장이가 어어어얼마나
의젓하고 멋있는데!
건강하고
예의 바르고!

훈장이가 세상에서
제일 예쁘다고 해줄 사람이
나타날 거야!
저런 사람은
무시해버려!
반짝
반짝
쿵실
쿵실

이미 안겼으니
오늘은 계속
안고 있을게요.
쓰담!

오늘 입양제는
여기서
마치도록 할게요~
강아지들
이동해주세요.

오늘
명동이 어땠어?

비숑들이랑 엄청
잘 놀더라구
반려견 운동장의
4대 천왕
명동이도
즐기고 있어서
다행이다.

미소시 유기견 거리 입양제
세상의 모든 개들의 행복에 진심
가야 입양 문의는 어땠나요?
문의는 세 번 들어왔는데 으르렁댄다는 것 때문에 포기하더라구요.

으음, 역시 그게 제일 문젠가요.
경고성 으르렁이 나쁜 건 아닌데 말이죠.
그렇다고 말 안 할 수도 없잖아요.
이런 면까지 다 듣고도 품어줄 사람한테만 보내야죠.
가··· 가랑이 찢··· 찢어져.
그럼요! 엄격하게 해주세요!

몽실아!

고집부린다고 되는 게 아냐!
꼬오옥
잠시만요.

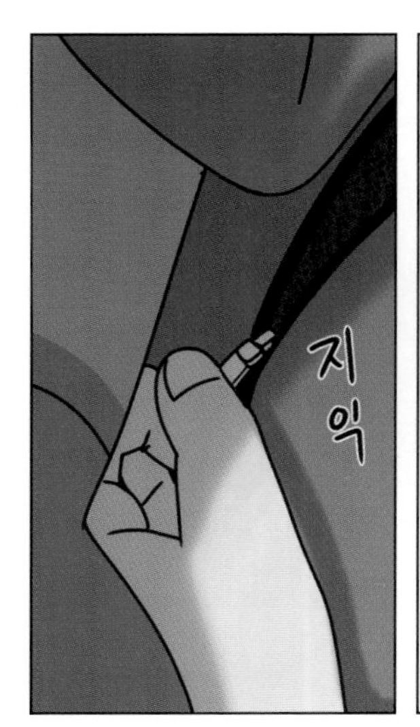
지익

휘청

자, 이제
켄넬로 들어가자.
다음 주에
또 보면 돼.

거리 입양제

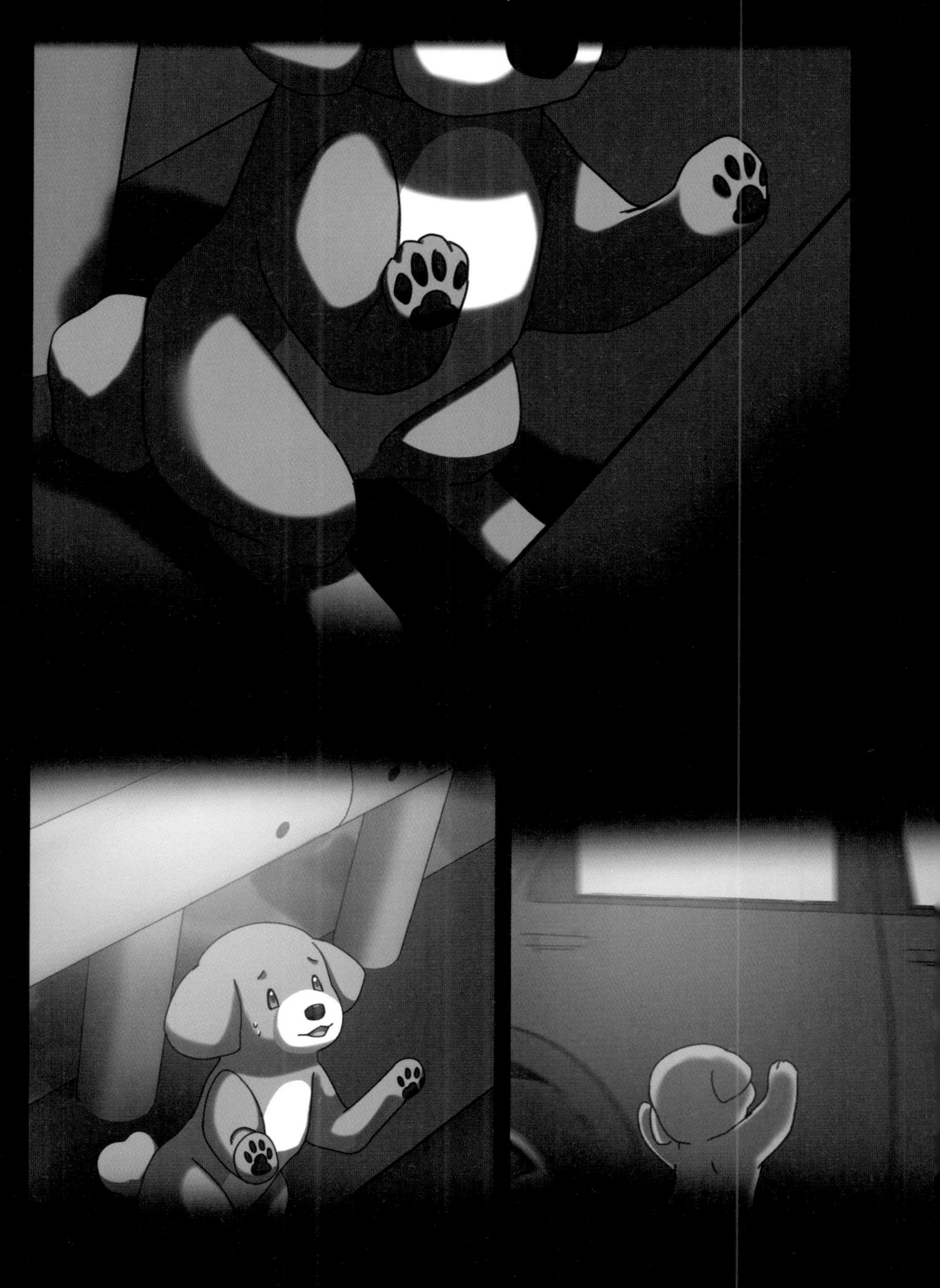
어떻게 해야

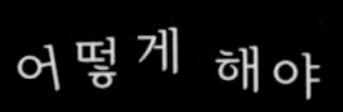
어떻게 해야

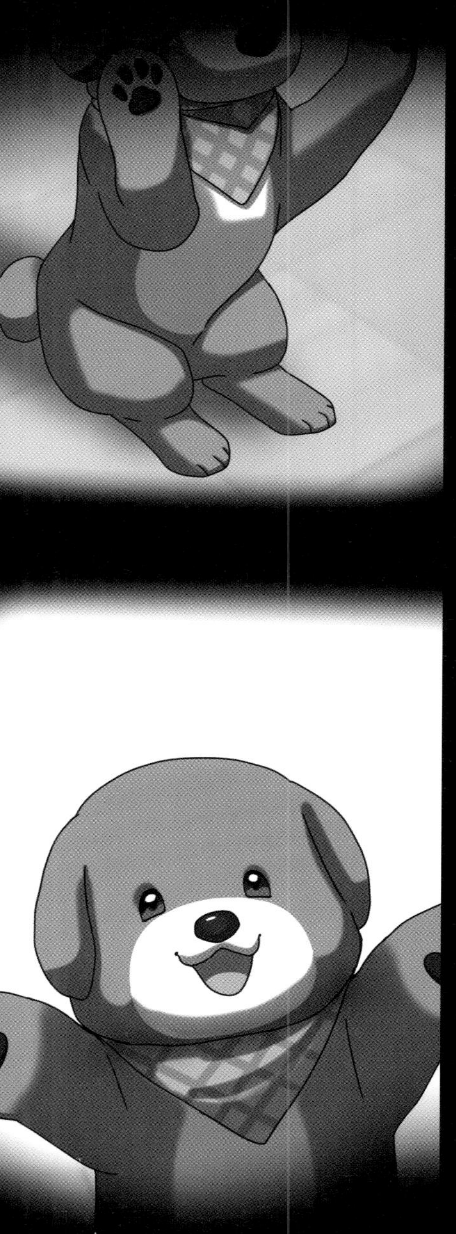

어떻게 해 야

어떻게 해야

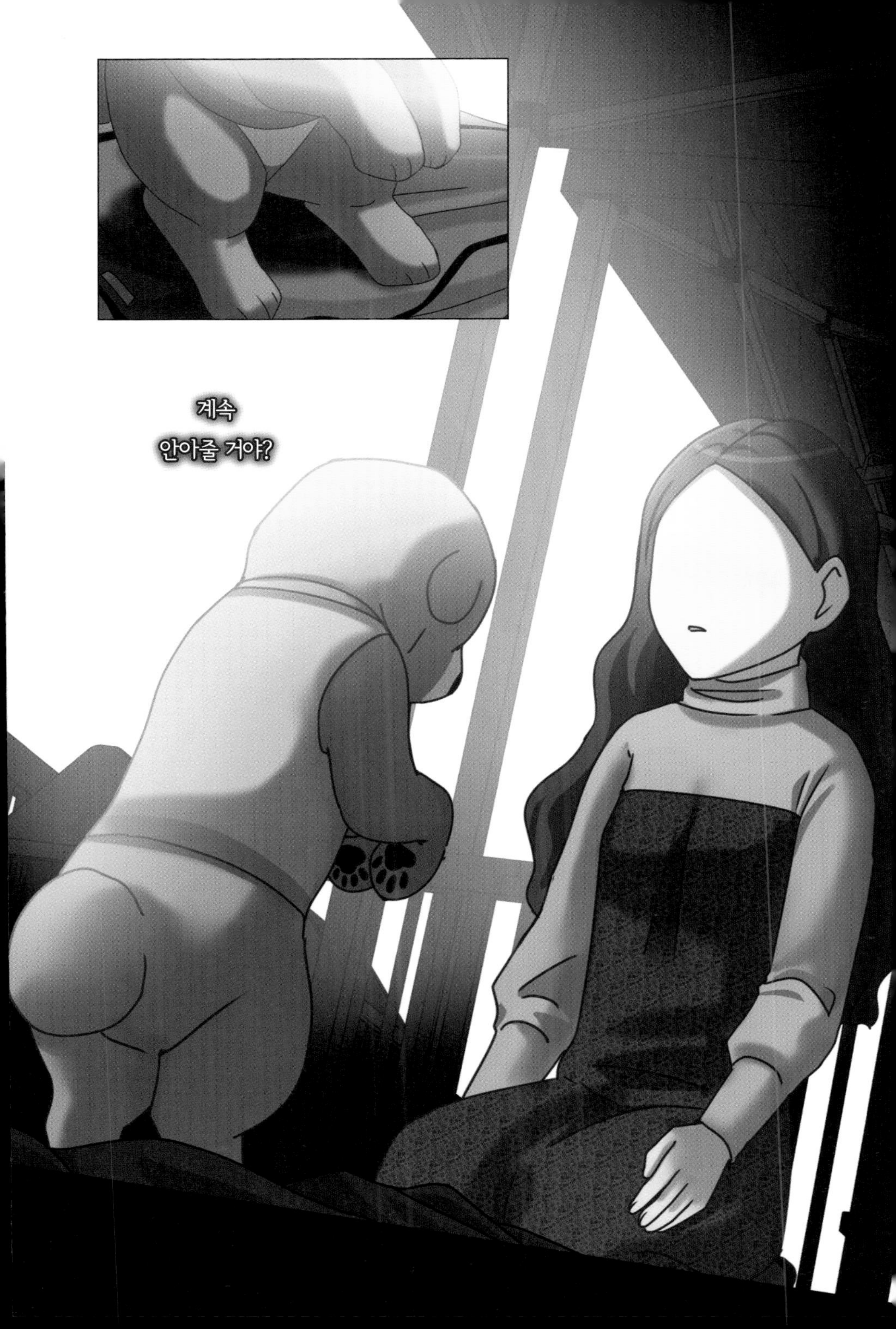
계속
안아줄 거야?

꾸벅
거리 입양제
거리 입양제
꾸벅

굿바이
인사해주는 거야?

고마워.

보호소 땐 못 본 건데
선생님이 가르치신 거예요?
이거
입양 SNS에 올리면
반응 좋겠네요!
꾸벅
꾸벅
꾸벅
꾸벅
꾸벅

아뇨…
전 가르친 적
없어요.

…제가 아는 애들 중에
이거 하는 애는
하나밖에 없어요.
이거 저희 동네…
떠돌이 유기견이

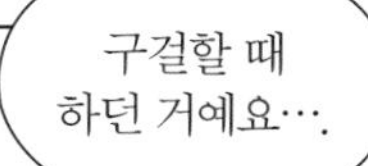

구걸할 때
하던 거예요….

마리 씨가 몽실이를
입양해주길 원하고 있었다.

미소시 유기견 거리 입양제
세상의 모든 개들의 행복에

으르르르르르르르르르

아유겐
오류겐
아따따뚜겐!

안 안아준다는 걸 알고
알아서 지키기 시작했다.

몽실이가
마리 님을 너무
좋아하네요.
안기기
좋아하는 것도
입양되면 뭐가
문제겠어요.

자기 엄마한테라면
실컷 안겨도 되는걸요.
그쵸??
그럼요~

몽실이
산책시킬까요?
꺼져.

몽실이 산책은
제가 시킬게요.
바··· 방금
꺼져라고···
뽕
뽕

몽실이 입양
안 해주시려나···.
마리 님도 몽실이
좋아하는 거
같은데요···.
씩 씩!

마리 님이라면
쌍수 들고
환영이에요.
5년 차
부부
자영업
꽃집
강아지
없음
자녀 계획 없음
(가정 내 큰 변동 예정이 없음)
아파트
개심심
그러게요…
몽실이한테는
마리 님이 딱인데요.

두 분…
그러시면
안 돼요.
두 분 마리 님이
몽실이 입양해주셨으면
하시는 게 너무 티 나요.
네?

입양은 100% 자기 의지로 되어야 하는데
그런 분위기를 만드시면 그것도 강요가 돼요.
족을 찾습니다.

그러다
마리 님이 부담스러워서
안 나오시면
몽실이가
더 불쌍하잖아요.
유기견
거리 입양제
니다.
그렇죠….

몽실이는 일주일 내내 오늘만 기다릴 텐데
마리 님이 다음 주에도 계실 거란 보장이 없죠….

가족은 한쪽만 사랑한다고 될 수 있는 게 아니니 참 어렵네요.

티 안 내도록 노력하겠습니다.
추 욱
더 좋은 입양처가 나올지도 모르니 기다리죠….

저요?
불쑥!

안녕하세요~~~ 강아지들 보러 왔어요~
싱글
벙글
이번 주에도 오셨네요.

멍
안녕~ 아저씨 왔다.
멍
멍
멍
멍
벙글
싱글
멍
멍
멍
멍
이야~ 오늘도 싫어하는구나.

넌 오늘도…
휴….

그냥 보기만 하지 마시고 봉사활동부터 해보시지 그래요? 그럼 개들이랑도 더 친해질 텐데요.
하루 통으론 못 빼요. 제가 가게 때문에 바쁘거든요.

그렇게 바쁘시면 강아지를 입양해도 같이 있어줄 시간이 없을 거 아니에요?
괜찮아요! 제가 아니라 저희 아버지가 키우실 거거든요!
미소시 유기견 거리 입양
개들의 행복에 진심

그럼 강아지는
그분이 보셔야죠.
안 돼요,
안 돼.

별로 안 키우고
싶어 해서요.
상큼!
괜찮아요!
일단 데려오면
잘 키울 거예요.
빠직.

호호호호호호호호,
누가 아저씨한테
입양 보낸대요?
백 번을 와도
안 보내니
오지 마요.
아이~ 그러지 말고~
일단 데려가면
잘 키울 거라니까?
와,
눈치도 없어.

매주 시간을 내면서까지
왜 여기서 유기견을
입양하시려는 거예요?
쉽게 데려올 수
있는 곳은
많잖아요.
소근

전 유기견이니까
입양하려는 게
아니에요.

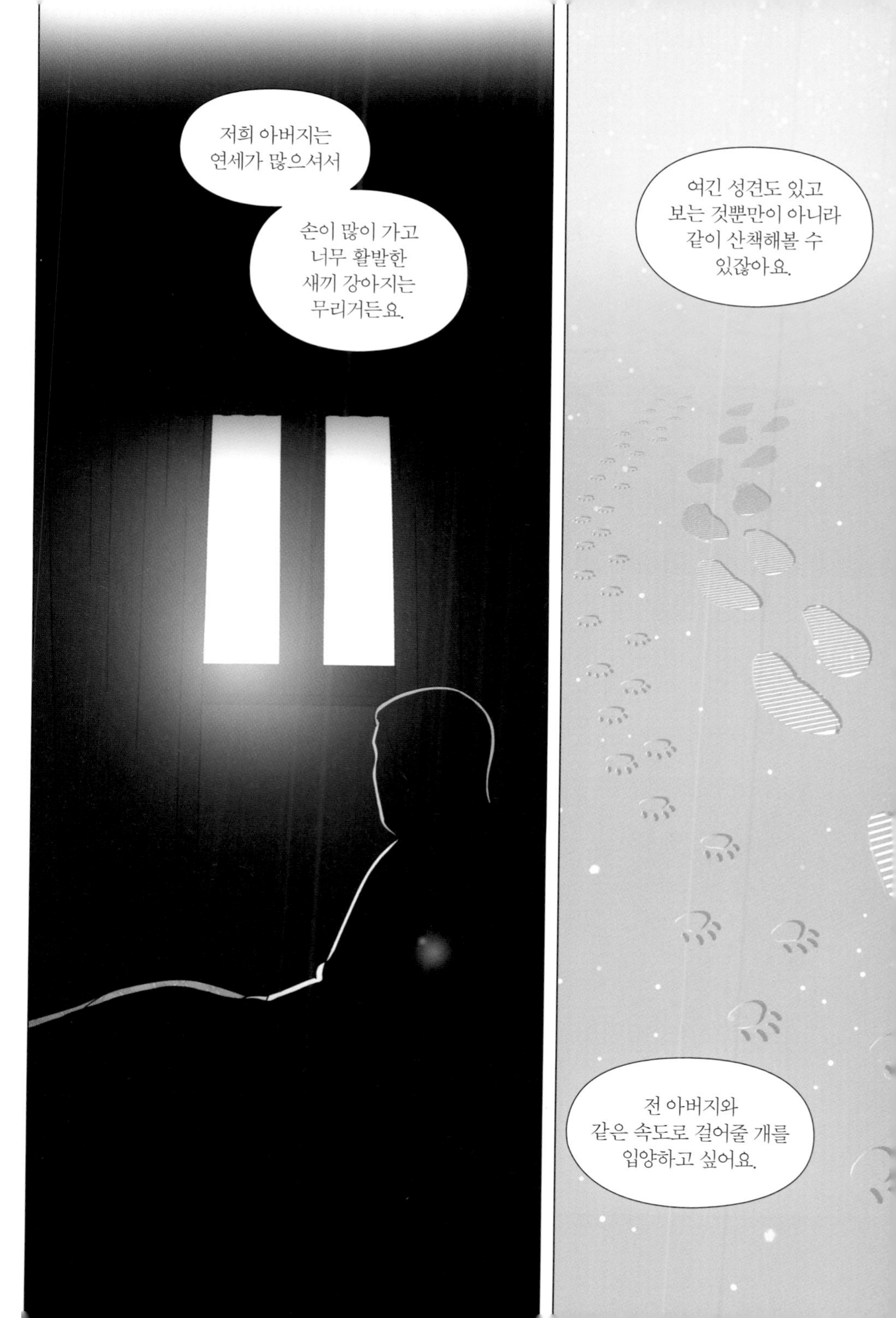
저희 아버지는 연세가 많으셔서
손이 많이 가고 너무 활발한 새끼 강아지는 무리거든요.
여긴 성견도 있고 보는 것뿐만이 아니라 같이 산책해볼 수 있잖아요.
전 아버지와 같은 속도로 걸어줄 개를 입양하고 싶어요.

가족의 동의는
기본 중에
기본이에요!
저흰
잘 키울 거예요
같은 애매한 건
못 믿어요.
음….

커피 왔습니다!
신범근 씨가 누구죠?
여기요!
입양제 세상의 모든 개들의 행복에 진심
라떼, 코코아,
아메리카노 각각
다섯 잔씩 맞죠?

날씨도 슬슬
쌀쌀해지는데
한 잔씩 들고 하세요.

이… 이런 거 주신다고
입양 보내는 거
아니에요!
알아요,
그건 그거고
이건 이거죠.
다음엔
아버지랑
올게요.

나쁜 사람은 아닌 거 같은데….
그래도 싫어요!
?

몽실이 하트 꽂았네. 귀여워라.
에헤헤♥
귀엽죠?

몽실이가 어떤 색이든 잘 받아요.
산책하는데 몇 번이나 예쁘다는 소리를 들었다니까요.
입양해. 입양해. 입양해.

여러분도
임보 강아지 말고
반려 강아지가
있으시죠?
네.
있었죠.
처음 입양할 때
이 애가 내 애다… 같은
느낌이 오셨나요?

그럼요!!
엄마는
자식 자랑 기회를
놓치지 않아.

만나자마자
머릿속에서 노래가
들렸어요.

눈과 눈이 마주친 순간
좋아한다는 걸 깨달았어.

너도 지금
나랑 같은 마음인 거야?

이제는 전으로 돌아갈 수 없다는 걸 알지만

지금은 그저 이 눈을 피하지 말아줘~

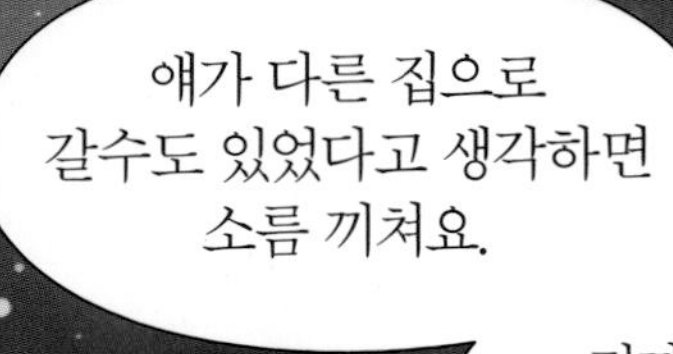
애가 다른 집으로 갈수도 있었다고 생각하면 소름 끼쳐요.
진짜 내 새끼라서 그러는 게 아니라 객관적으로 봐도 너무 예쁘지 않나요?
엄마는 자식 자랑 기회를 놓치지 않아!!!!!!
제 눈에는 이 애가 세상에서 제일 예뻐요.

역시….
자기 개를
만났을 때 뭔가…
운명적인 느낌이
오는 거죠?
정말 호감인지
그저 연민일지
구분이 되겠죠?

쟤?
쟤 맞아?
맞는 거
같은데?

맞네!
굽신 인사!
세개행진
▶0:40
조회 33,324회
몽실이 전 게시물 보기 #세개행진 몽실이
두 번 버려졌던 몽실이는
오늘도 누군가의 가족이 되고 싶어서
계속 애원하고 있습니다.
한 번 더 봐주세요.

몽실이!
몽실이 입양하려고 왔는데 어디에 말하면 되나요?

입양 문의는 제가 저쪽에서 해드릴게요.
여기 영상으로 찍어도 될까요?
네?

저희가 크리에이터거든요. 입양 인터뷰하는 것부터 영상으로 찍어도 될까요?
당연히 얼굴은 블러 처리해 드릴게요.

그건 좀 곤란해요. 인터뷰 내용이 유출되면 입양 희망자들이 답변을 미리 준비할 수 있거든요.
아쉽네요.

민영 씨,
몽실이 좀 안고
오시겠어요?
네….

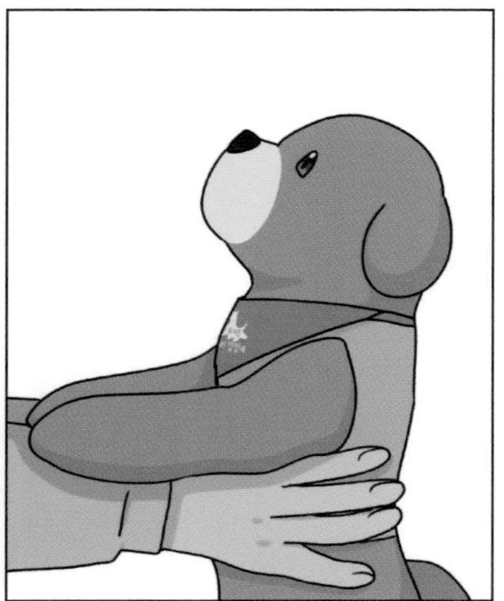

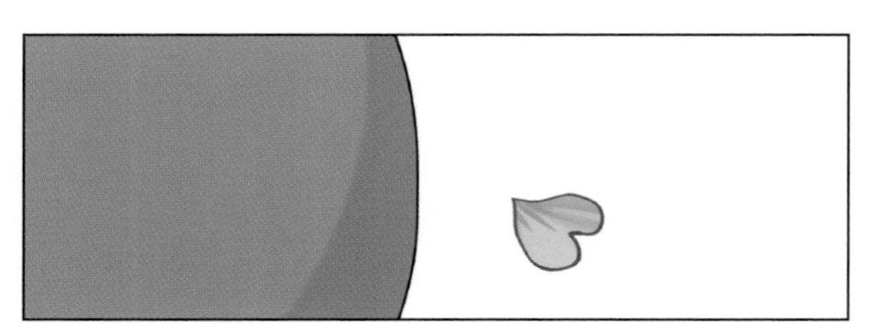

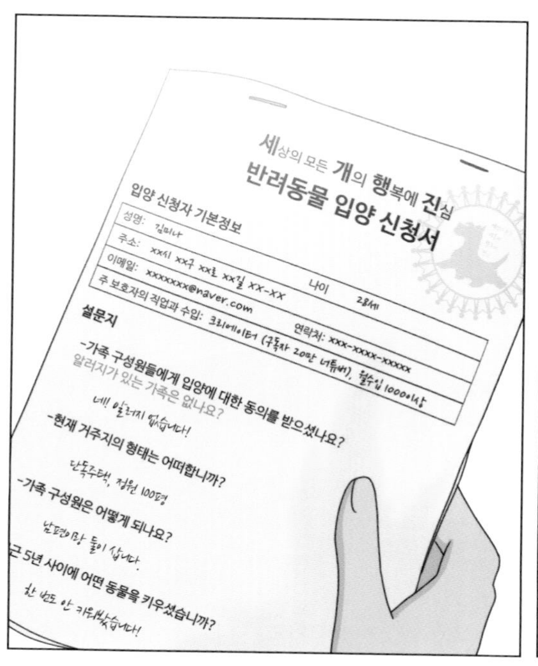
세상의 모든 개의 행복에 진심
반려동물 입양 신청서
입양 신청자 기본정보
성명: 김미나
주소: xx시 xx구 xx로 xx길 xx-xx
이메일: xxxxxxx@naver.com
나이 28세
주 보호자의 직업과 수입: 크리에이터 (구독자 20만 너튜버), 월수입 1000이상
연락처: xxx-xxxx-xxxxx
설문지
-가족 구성원들에게 입양에 대한 동의를 받으셨나요?
알러지가 있는 가족은 없나요?
네! 알러지 없습니다!
-현재 거주지의 형태는 어떠합니까?
단독주택, 정원 100평
-가족 구성원은 어떻게 되나요?
남편이랑 둘이 삽니다.
근 5년 사이에 어떤 동물을 키우셨습니까?
한 번도 안 키워봤습니다!

2세 계획은
어떻게 되세요?
모두가 웃는 도

저희
딩크족이에요!
근데 애완동물
입양하면 펫펨족이
되는 건가요?

몽실이를 입양하면
몽실이도 이 너튜브에
나오는 거죠?
네!
저희 방송 마스코트가
될 거예요!

왜
몽실인가요?
마스코트라면
어린 강아지가
좋지 않을까요?

그건
재미없잖아요!

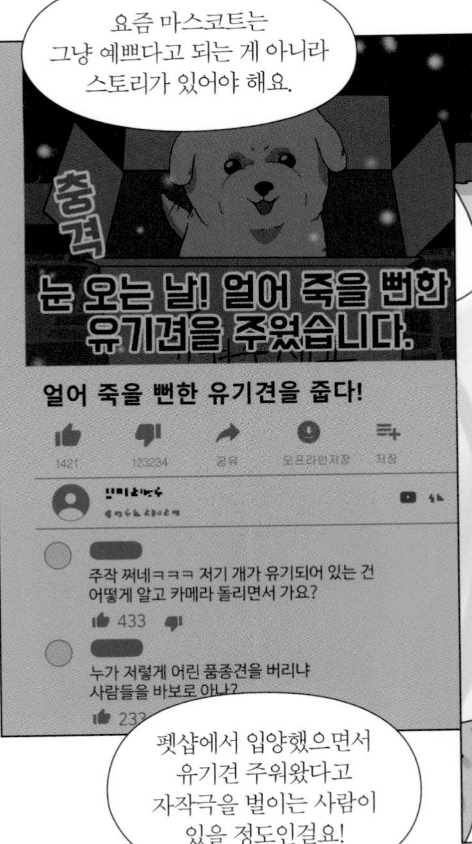
요즘 마스코트는
그냥 예쁘다고 되는 게 아니라
스토리가 있어야 해요.
충격
눈 오는 날! 얼어 죽을 뻔한
유기견을 주웠습니다.
얼어 죽을 뻔한 유기견을 줍다!
1421
123234
공유
오프라인저장
저장
주작 쩌네ㅋㅋㅋ 저기 개가 유기되어 있는 건
어떻게 알고 카메라 돌리면서 가요?
433
누가 저렇게 어린 품종견을 버리냐
사람들을 바보로 아나?
펫샵에서 입양했으면서
유기견 주워왔다고
자작극을 벌이는 사람이
있을 정도인걸요!

이런 과거가 있는데
품종견에 특기까지 있다니
이 아이는 스타가
될 거예요!
신데렐라로
만들어줄게요!

여기 봉사
3회 참가해야
입양할 수 있는 거죠?
그건 찍어도
될까요?
거리 입양제
홍보에도 도움이
될 거예요!
와—
컨텐츠—

전원주택에
고수입,
20만 팔로우에
신원도 보장되어 있으니
몽실이한테 함부로 못 할 거야.
입양제에서 입양하는 걸
영상으로 보낸다면
홍보에도 많은 도움이 될 거고….

입양 심사 여부는
일주일 안에
알려드리도록 할게요.

선생님은 어떠셨어요?
글쎄요…. 좀 생각해 봐야겠어요.

을 찾습니다.

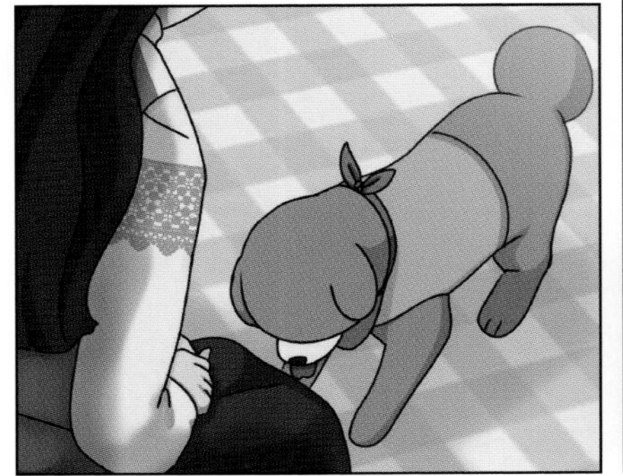

꾸벅
꾸벅

입양제
세상의 모
마리 씨는
정말 괜찮으세요?

선생님!
아….

미안해요,
잊어주세요.

멍~
멍~

사각
사각
사각
또 몽실이 생각해?
썩 뚝

그러니까 입양하자니까.
~~!!!
!!!
marie's flower shop

개 키우자고
먼저 말한 사람
심장 사상충이라고
하루 만에 파양됐대.
드디어
입양하나 보다!!
난 이번에야말로
입양하는 줄 알고
머릿속에서는
이미 인생 청사진을
그려놨는데.
입양 신청서라도
내보지….
울컥

저쪽은 유명인에
전원주택인데
우리한테 보내겠어?
입양 승인 안 나면
앞으로 어색해서
거리 입양제를
어떻게 나가?!
꾸우
우우

지금까지
입양제 하면서 눈에 밟히는
애가 몇 번이나
있었는데
그 애들이
다른 곳에 입양 갔어도
잠깐 서운하고
괜찮았잖아!
정말
신중하게 결정한 것인지
어떻게 알 수 있는데?
…그걸
누가 가릴 수
있겠어
그런데….

지금까지의 넌
다른 애들이
입양 갈 때
서운해하면서도
결국 축하해줬잖아.

네가 이렇게
속상해하는 건
처음 봐.

이 애가
다른 집 애가 될 뻔했다고
생각하면 소름이 끼쳐요.

당연히
만날 수 있을 줄
알았어.

여러 조건과 여건이
맞아야 하고

서로
만나야 하고

서로 마음이
통해야 하고

서로의 타이밍이
겹쳐야 하고
정말
가족이 된다는 건
기적이구나.

몽실이
입양 건이요?

그
크리에이터 부부라면
안 올 거예요.

네? 왜요…?
되게 좋은
입양처였잖아요.
그게
말이죠….

유기견 입양에 대해
진지하게 고민하는 모습이
전혀 없었어요.
그저 몽실이로
콘텐츠를 만드는 것에만
관심있어 보이더라고요.

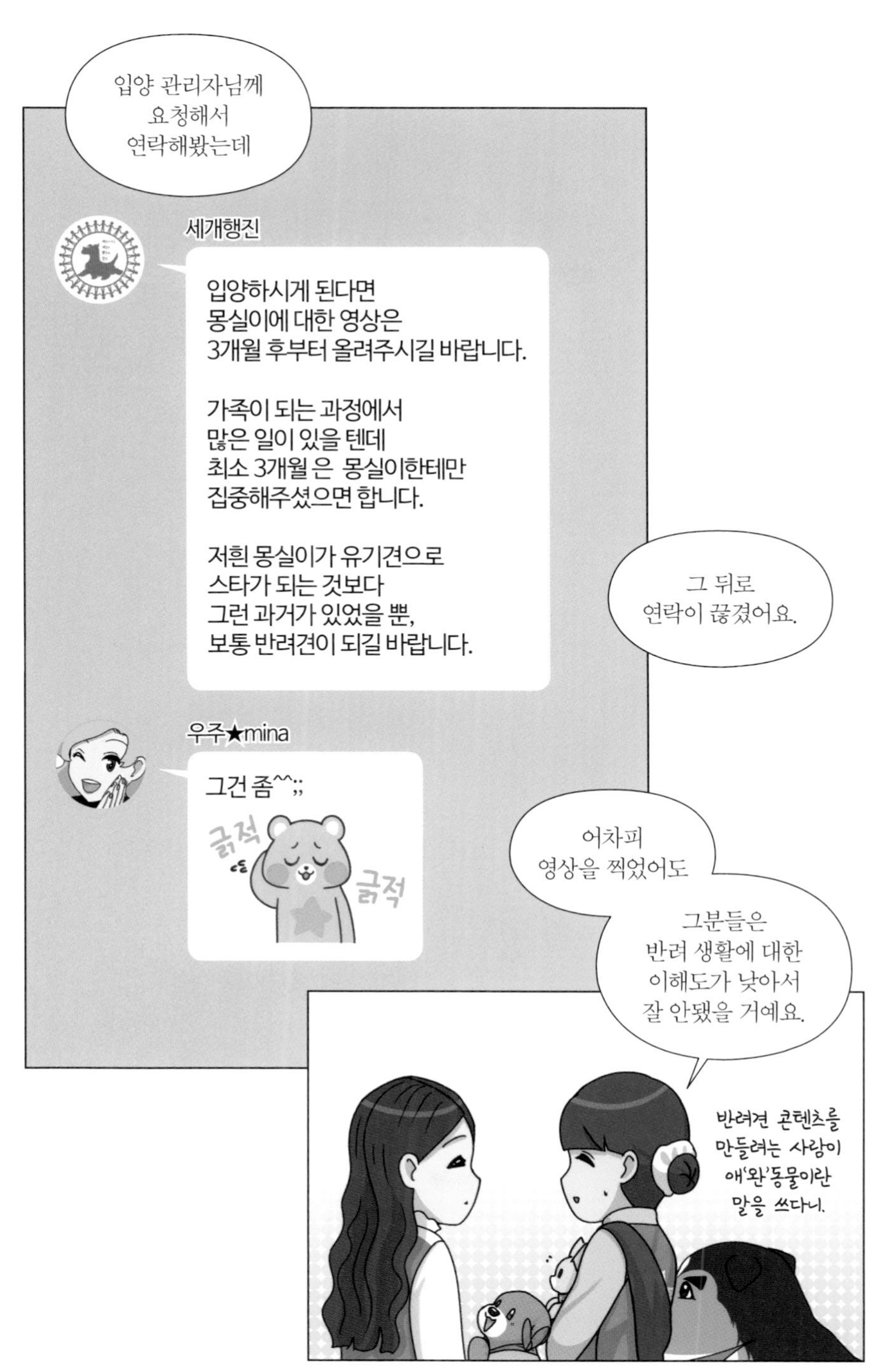

입양 관리자님께
요청해서
연락해봤는데
세개행진
입양하시게 된다면
몽실이에 대한 영상은
3개월 후부터 올려주시길 바랍니다.
가족이 되는 과정에서
많은 일이 있을 텐데
최소 3개월 은 몽실이한테만
집중해주셨으면 합니다.
저흰 몽실이가 유기견으로
스타가 되는 것보다
그런 과거가 있었을 뿐,
보통 반려견이 되길 바랍니다.
그 뒤로
연락이 끊겼어요.
우주★mina
그건 좀^^;;
긁적
긁적
어차피
영상을 찍었어도
그분들은
반려 생활에 대한
이해도가 낮아서
잘 안됐을 거예요.
반려견 콘텐츠를
만들려는 사람이
애'완'동물이란
말을 쓰다니.

※ 애완동물의 '완'(희롱할 완 玩)은 완구(장난감)에 쓰는 글자로, 동물은 장난감이 아니라 더불어 살아가는 존재라는 인식이 확산되면서 반려동물이란 단어로 대체되고 있다.

유명한 반려동물 영상은
보호자가 자신의 반려동물이
예뻐서 어쩔 줄 몰라
하는 게 보여요.
한번...
보고 가련?
우리 애들이
이렇게
예쁘단다
진심 100%의
내 자식 자랑
그렇게 예쁨받아서
스타가 되는 거지,
스타여서 예쁨받는 게
아닌걸요.
예뻐죽네

저는 몽실이를
그렇게 예뻐해주실 분께
보내고 싶어요.

이걸 왜
이제야
알았을까?

얘가 세상에서
제일 예뻐!!!
도도도

몽실이 입양 승인 안 났대!
역시 몽실이가 우리 애야!

빨리 찜해!
몽실이
입양 신청서
쓸게요.

마리 님은 입양 심사를 가볍게 통과하고
그동안 이미 몽실이와 산책 봉사를 3회 했기 때문에
이례적으로 바로 다음 주에 입양을 가게 되었다.
입양 후 1년간 지속적으로 아이의 소식을 알려주셔야 합니다.
쨱~
3달간은 주에 1회, 그 후엔 달에 2회.
연락이 안 닿거나 유기, 학대 등의 정황이 있을 경우 파양과 법적 조치를 취할 수 있습니다.
입양 후 다른 집으로 보내는 것은 절대 불가하며
키울 수 없게 될 시, 분실 시 신속하게 운영진에게 연락해 주셔야 합니다.

동물보호와 관련된 전문성, 객관성을 갖춘 제삼자가 봤을 때

더 이상 양육할 여건이 안 된다고 판단될 경우 입양 동물 반환을 요구할 수 있습니다.

반려견 등록은 입양 후 1년간은 운영진의 명의로 되어 있으며

그 후에 입양자님의 명의로 바꿀 수 있습니다.
동의하시나요?

지긋—

제 얼굴에 뭐가 묻었나요?
서류가 자꾸 입을 가려서요.

※ 수어 - 손과 얼굴 등을 이용하는 농인의 고유한 언어. 수화가 언어로 인정된 후로 수어로 불리기 시작.

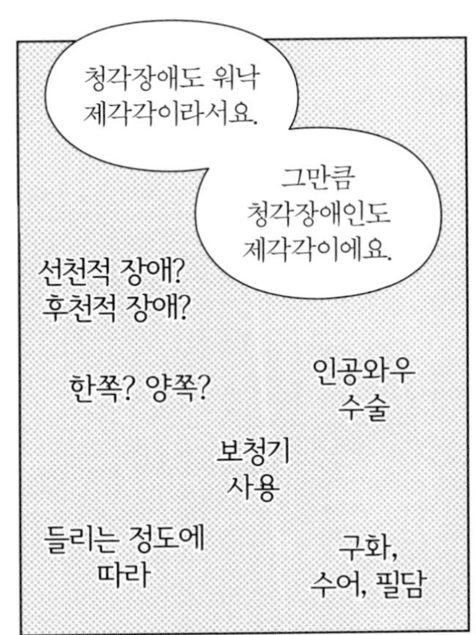
청각장애도 워낙
제각각이라서요.
그만큼
청각장애인도
제각각이에요.
선천적 장애?
후천적 장애?
한쪽? 양쪽?
인공와우
수술
보청기
사용
들리는 정도에
따라
구화,
수어, 필담

전 보청기를 끼면
어느 정도는 들리는 데다
발음 교정도 꾸준히
받았거든요.
먼저 말 안 하면
모르시는 경우가
많아요.

그런데
장애란 말만 듣고
과하게 신경 써주시는
분들이 많으셔서
불쌍해라···
힘내세요, 화이팅!
글썽
글썽
혹여
불편하게 해드릴까 봐
마리만 거리 입양제에
참가했네요.
내가 왜
불쌍하지?
아···
어··· 그게···
제가 수어를 몰라서···
방금까지
말로
대화했는데···.
빠
빠

하지만 청각장애는
제 신체 특성일 뿐
전 보통 사람
이거든요.

이게 몽실이의
아빠가 되는데
문제가 될까요?

문제가
될 리가요!
입양 서약서에
사인해주세요.
아빠···!

입양 동물을 타인에게 매매,
양도, 유기하지 않고
성실히 돌보겠습니다.

입양 동물의 건강을 위한
모든 노력을 약속합니다.
유기견
거리 입양제

가족으로서
일평생 보살필 것을
맹세합니다.

웃는 도시
거리 입양제
유기견

5권에서 계속됩니다

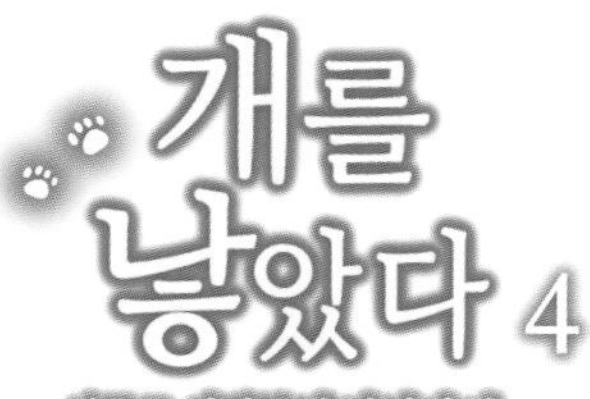

2024년 4월 15일 제1판 1쇄 인쇄
2024년 4월 20일 제1판 1쇄 발행

지은이 | 이선
원작 | NAVER WEBTOON <개를 낳았다>
발행인 | 오태엽
편집국장 | 강우식
편집담당 | 김예영
전략마케팅팀 | 김정훈 이강희 정누리
경영기획팀/제작 | 박석주
디자인 | (주)디자인프린웍스

발행처 | ㈜서울미디어코믹스
등록일 | 2018년 3월 12일
등록번호 | 제2018-000021
주소 | 서울특별시 용산구 만리재로 192
전화 | (02)2198-1658 (편집), (02)2198-1732 (마케팅)
FAX | (02)2198-1699
인쇄처 | (주)한산프린팅

ISBN 979-11-367-8528-2 07810
979-11-367-8177-2 (SET)